中国当代艺术家画传

主编 食指 许江 撰文 潘维

REN XIAOLIN

任小林

DISENCHANTMENT

警 幻

序言一

如此规模地组织当代重要诗人写画家介绍画作，不仅是一个创举，准确地说，是恢复了一座古老的文化桥梁，把诗人和画家传统意义上的朋友兼兄弟关系又建立起来。从文化的角度看，一批在汉语中成长的画家当然要用汉语的眼光来理解、认识、批判。

精神转化为产品，是时代的趋势，也是文明进步的表现。精神文明和物质文明按照各自的规律向前发展，它们并不同步，但在某一点上有时会达成平衡或统一。比如一幅画在一个家庭体现了双重价值。

但艺术品进入民间市场不应该是一件盲目的事情，必须建立良好的秩序，这需要时间和过程，重要的是需要一批人为此付出努力。首先就是要培养大家的感受力和鉴赏力，逐渐让更多的人知道什么是有生命力的作品，什么是传统和创新，怎么样的画才有价值，但这一切的前提是谁是一个真正优秀的画家。

通过人类学意义上人性最敏感的诗人，我们进入一个个画家的灵魂。他们有血有肉，有喜怒哀乐，有生老病死。大多地方他们也是普通人，而在某一处，他们显现了神奇的记忆。对一幅作品的评判首先是对一个人灵魂的拷问。

这套书的出版可喜可贺，它填补了一个空白，如此大面积的当代中国最优秀的诗人和最重要的画家在同时做着一件认真细致的工作。

我感谢他们!

食指 2006.8

Preface

A well-known Chinese poet once said: Words are the voice of the heart, so are paintings. Also, our ancestors believed that both writings and paintings originate from our heart.

And today, with sincere hearts, we, poets and painters, are meeting here.

As one passage from a poem goes, "Swallows, like the ones I knew, return". Like the swallows we are now here in search of a kind of feeling and atmosphere that are understood and familiar to us, in an attempt to call on a truly poetic and picturesque life.

Poet is neither an occupation, nor a social stratum. Poet is kind of an unsettled soul, always on the drift. Often it retires itself from the flesh body, and looks back on itself from the remote horizon. It s usually in the distance that poets find his true self, as well as true life, a place he can never reach. Not all that compose poems are poets; poets may also be found among people in all works of life. True poets hide themselves in our daily lives. Let s salute to all the true poets at present.

Ours is a time which lacks in poets and which produces too many popular stars, who, more often than not, cast away poetic thought and feelings, leaving only the vain glory. It s time in which everything is plugged in. The mission of the poetry to express one s ambitions has already been forgotten and lost in the false splendor of the madding world, and the loyalty and purity in poets are now faced with the double dark forces: media which dictates, and technology which is put on priority.

We can have no poems in our life, but we can never tolerate life without poetry or life permeated with pseudo-poetry. So, let's be together, rediscovering the aroma of poems since forgotten, the poetry in our time and the soul of the poets.

By Xu Jiang May, 2006

序言二

西汉扬雄曰："言，心声也。"诗与画都从于心。

今天，我们带着一颗诚挚的心在这里相会。

"似曾相识燕归来"。我们在这里，诗与画在这里，找寻彼此相识相知的气息和心迹，并以此去召唤真正富于诗性和画意的生活。

诗人不是一种职业，也不是一种社会阶层。诗人是一种灵魂的类型。这种灵魂总在漂泊，居无定所，并总是从躯体上抽离出去，在遥远的地平线上回望自己，返观自照。诗人总是在远方看到了自己，看到了真正的生活，但是他却永远到不了那里去。并不是所有写诗的人都称得上诗人。许多从事别的行业的人们那里，却蕴含着诗性。真正的诗人在生活中。我们向真正的诗人们致敬！

我们所处的年代是一个缺少诗人却盛产歌星的年代。那歌总将诗的思想和激愤掷去，却将浮华张扬；我们所处的年代是一个将一切都插电的年代。诗言志的本色被淹没在世界的图化和碟化的绚烂之中，诗人的赤诚与明澈正面对着媒体独裁和技术优先的双重黑衣。

我们可以容忍没有诗，但我们不能容忍没有诗性的生活。我们可以容忍没有诗，但我们不能容忍将许多假象滥充为诗性。所以，我们走在一起，重新寻找诗的气息，重新寻找诗性和诗人的灵魂。

许江 2006.5

Preface

A well-known Chinese poet once said: Words are the voice of the heart, so are paintings. Also, our ancestors believed that both writings and paintings originate from our heart.

And today, with sincere hearts, we, poets and painters, are meeting here.

As one passage from a poem goes, "Swallows, like the ones I knew, return" . Like the swallows we are now here in search of a kind of feeling and atmosphere that are understood and familiar to us, in an attempt to call on a truly poetic and picturesque life.

Poet is neither an occupation, nor a social stratum. Poet is kind of an unsettled soul, always on the drift. Often it retires itself from the flesh body, and looks back on itself from the remote horizon. It s usually in the distance that poets find his true self, as well as true life, a place he can never reach. Not all that compose poems are poets; poets may also be found among people in all works of life. True poets hide themselves in our daily lives. Let s salute to all the true poets at present.

Ours is a time which lacks in poets and which produces too many popular stars, who, more often than not, cast away poetic thought and feelings, leaving only the vain glory. It s time in which everything is plugged in. The mission of the poetry to express one s ambitions has already been forgotten and lost in the false splendor of the madding world, and the loyalty and purity in poets are now faced with the double dark forces: media which dictates, and technology which is put on priority.

We can have no poems in our life, but we can never tolerate life without poetry or life permeated with pseudo-poetry. So, let' s be together, rediscovering the aroma of poems since forgotten, the poetry in our time and the soul of the poets.

By Xu Jiang May, 2006

目 录

潘维，著名江南才子。
生于浙江湖州，现居杭州。
其诗歌基本主题为少女和时间里的江南，
确立了一种阴郁典雅的风格，
为当代汉语贡献了非凡的才华，
被称为“潘后主”。
著有诗集《不设防的孤寂》等。

1963年生于北京，著名油画家。
作品曾参加“第三届中国油画展”、“中德艺术家联展”、
“意象武夷——中德两国艺术家首次面对面互动创作”活动、
“北京国际画廊博览会”等众多展览。
代表作有《瞀幻之境》系列、
《山水》系列、《西湖梦》系列等。

西湖梦

风月

西湖梦

沉迷

"一位诗人应当留下他走过的痕迹,而不是证据。只有痕迹引人遐想。"
——勒内·夏尔

"如果你完全和传统决裂,你就得从零开始,我认为那是不可能的。"
——贡布里希

60年代的孩子

1963年4月29日,任小林出生于北京,农历四月初六,属相兔,节气谷雨,星座落在金牛座上。当时,军队驻扎在颐和园一带,凌晨4点,也就是虎的时辰,城西309医院的女护士剪断了他与母体之间的脐带。按古代风水学的说法,这一年在西北方位诞生的人有女人气。可以说,任何人都逃避不了自然界的游戏,时空中的任何一个坐标点都意味着一种独特性,意味着一种不可替换的宿命。兔子是胆小、谨慎、敏感的;金牛仁厚、享乐,随身带着一面镜子似的追求现实的完美。在以后的年月里,任小林从未背离过这种阴性、潮湿的气质。

他的到来并没有引起家庭的紧张、忙乱,一切都很正常,似乎本该如此。像他的名字:任小林。仅凭这三个字,人们判断不出他的社会阶层,但从他降生于当时国内最先进的医院这点来看,在一个等级严密的体制里,非普通百姓所能做到。女护士和户籍民警知道,他是一个"红色子弟",一个新生的贵族。

他在一次谈话中讲到:"在家里,我是老五,有五个兄弟姐妹,两个姐姐,两个哥哥。实际上,我家是两个家合起来的,我爸带来一个,我妈带来一个。那时候,我母亲是做秘书的。命运真的是阴差阳错,我妈是南京人,抗战后我爸也到南京来住。但是,社会结构肯定差得很远,我爸那家是一个小职员,而我妈的爸爸是国民党的一个中将。"

革命总是容易点燃美丽少女的心,可以想见任小林母亲李英华年轻时候飒爽的风姿。任小林身上的那种幽亮、脆弱又安静的性格遗传自母系血统。我称之为世家所培育的内敛的骄傲。

父亲任大卫,江苏宜兴人,是画家徐悲鸿的同乡。这个太湖之畔的著名紫砂壶产地,文化肥沃。他的理想是当个小学教员,他勤奋、执着,喜欢画画,但抱负并不远大。他毕业于杭州艺专预科,跟进入现代世界艺术史的赵无极是一个班的同学。如果没有日本侵华战争的爆发,一切皆会如他所愿,平静地生活在"上有天堂,下有苏杭"的环境里,成为士绅。可一次学生运动,一场爱国演讲,把毫无准备的他从南方搅到了北方，加入了共产党的阵营，成了军人。在文盲成堆的部队，知识分子的优势很快的体现出来。可很奇怪，战争年代他一直没有恋爱，直至1949年共产党取得胜利、夺得政权之后，才结婚。

九个月以后，他们全家从首都迁至云南。父亲在昆明军区负责文化工作，母亲在省委当机要秘书。他仅有的农村记忆在云南思茅干校，那一年，六七岁的任小林完成了与自然的亲密关系。他几乎整天赤着脚，在田园风光里乱跑，健康、野性，以致于他回城后极不习惯穿鞋走路。9岁那年，他开始学习绘画，他清楚地记得"第一幅画的是线描的水杯"。

艺术的主要功效之一是自我拯救。对极端脆弱的幽闭者来说更需要一条通道，让人性中复杂的能量得以耗散，不然，这种人很容易犯罪。表面上，他老实、安静、孤僻，在空阔、寂静的军区大院里，一个孩子，一名学童，长期与人缺乏交流，除了翻看战争英雄与古典文学的连环画，就是整天蜷缩在家里想入非非，上学几乎像梦游。画画是他惟一的爱好，他的第一个画室，是他家存放煤块的小棚屋。黑的煤，压抑的空间，幼小的心灵和纸张、笔、画架混合在一起，和他叛逆的性格混合在一起，开始了任小林的变形记。

童年对一个人的性格形成不是绝对的，但重要性不言而喻。暂且不论任小林是否是一个天才，但至少对他而言，绘画就是他的空气，无需家长进行望子成龙式的压迫；而另一方面，他一直拜师学艺，跟随一个又一个军旅画家，受到了各种风格的培育。可以列举许多启蒙他的老师：林林、王忠才、刘红宇、李慧昂、向光、田世信……这些画家，皆人生阅历丰富，思想正统。可惜他内向、绝缘的性格，导致他接受的信息是单一的、机械的，几乎是纯技术上的。或者说影响要延后发生。与他代沟严重的父亲也许是最早发现儿子是个"异端"的人。在他眼里，任小林走上了一条与"宣传"格格不入的歧途。

在1982年他考入重庆四川美术学院之前，全家搬到贵州已有七个年头。其间，与家庭隔膜的关系没多少改变。读书上毫不用功。相对重要的事件是认识了贵州籍画家曹力。与父亲争吵之后，他会一个人在街头巷角闲逛、窥视、无聊。在市俗层面上，他便是一个游手好闲的高干子弟。而实际上，云贵高原那种淳朴的民风彻底地渗透了他。他向往的是平民幸福，一种原生态的生活方式："我天生就喜欢放松的东西，精致的或太高的东西我一般比较排斥。"他不无伤感地回顾自己的成长岁月：

“我不知道工人的孩子是怎么过来的，但至少我是这种家庭出来的。就是这种家庭出来的，沟通上都有隔阂的，然后加上社会的剧变，心灵上的封闭我认为是我们中国这一代人特有的。因为西方的孩子没有经历过这个历史。如果从美术史、文化史来考察的话，我觉得要有价值的话，也就这一块有价值，是心理上有价值，而不是脉络上的价值。从我认识的人来看，即使是知识分子，小的时候生活都不好。很简单，到一个娱乐的时候，都是通过酒，或者通过其他的一些东西发泄出来，那时候他们才是放松的。那就是说，他们从小的教育都是在一个封闭的、压抑的环境完成的。这种记忆是太深了，是他们所摆脱不了的。到了 70 年代、80 年代，我觉得放松得太可怕了。”

直至有一天傍晚，他从狭窄、灰暗、简陋的城市的建筑间回来，家中硝烟还未散尽，他看到门缝下有一封信，打开一看，是一封令他父亲备感意外的大学油画专业的录取通知书。他吸了一口气，发觉解放了。

重庆码头

历史证明，中国金鸡形版图上，人才辈出之地只有很少的几处，相对集中在鸡胸消化食物一带：秦晋、湘楚、巴蜀和江南之地等。20 世纪 80 年代的四川盆地，又产生了一大批开潮流的先锋诗人和艺术家。坐落于山城重庆、长江之畔的四川美术学院成了当时美术青年的圣地之一。

任小林是幸运的，他进入了一个适合他性情的环境。对外乡人来说，这是一座被李白多次吟诵的雾中迷城：房屋被砌在石阶之上，空气里是化不开的热，很多秘密隐匿在江水里，流淌的水并不带走这些。在任小林的印象里，它就是一个码头，一个喧杂无比、人声鼎沸的江湖码头。各种民间的英雄好汉上上下下，仗义、粗暴、非理性，在人情世故里打转。平静的日常生活反倒是遥远的事情。各种光怪陆离的角色云集：小贩、妓女、嫖客、好汉、财主、官员、僧侣、游医、术士、良家妇女、落魄的公子……在这个鸡飞狗跳之中酝酿着腥风血雨的交通要地，他“跟了许多老师，泡了很多茶馆”，也就是说，大学期间，他一边做学生，一边成了茶馆里的闲客。

有一张他在学生时代和同学的合影：他愁眉不展，头发像一顶浓密的线帽，略带拘谨和紧张，然而，他透露出一种非合众的坚定。背景是大礼堂的门前台阶。那种粗糙的建筑物现在已不多见。他们的穿着像现在的建筑工地上的民工，每个人都似乎被某种心事压迫着。另一张是他们20年后的照片：在一朋友家的餐桌前，杯盘狼藉，洋溢着快乐，现实已经给予他们满足的神情，衣着随便但讲究。每张照片都有一位女性。第一张那位女孩，穿嫩黄外套，在人群的外围，靠着巨大的水泥廊柱，低着头，初恋般忧郁，简直美到了极致。后一张上的那位女性，打扮凸显品位，手中夹着烟，在中心位置上面对镜头，表达上大方、大胆，人间对她已秘密不多。而对比任小林，除后一张上他的眼神柔和了许多，发型改了，人放松成熟了之外，神态几乎一脉相承，没多少改变。从精神层次上来说，在那时，任小林就是一个走上内在道路的人。

给任小林上过课的老师包括了罗中立等著名人物。记得有人在谈论音乐大师勋伯格时陈述道："勋伯格的门徒对他的敬畏和虔诚达到了只对宗教领袖才有的那种程度。""确实，你从勋伯格那里学到的不仅是艺术的规则，凡是坦率的人在这里都能被领上正路。"这句话，也同样适用于程丛林先生。

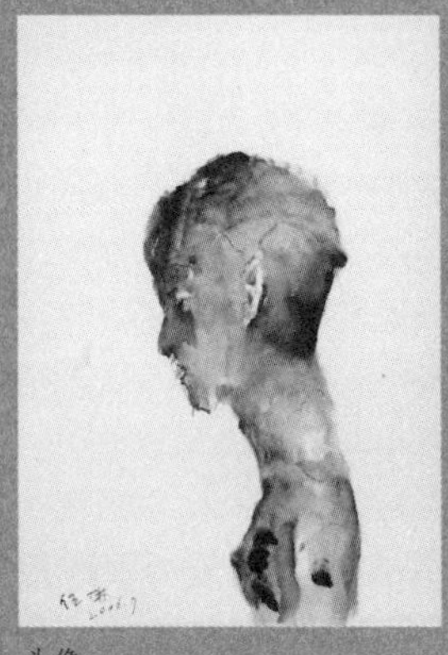

头像

程丛林年长任小林九岁，1997年创作的《1968年 × 月 × 日：雪》被认为是"伤痕美学"的宣言。他是那个时代知识分子的良知、使命感和批判现实的代表之一。陈丹青强调他的《1978年夏天》画出了他们这一代的群像。我问任小林，哪些人对他构成了实质性的影响？他回答：最大的肯定是程丛林，因为他给予了绘画思维本质的影响。当时，他周围有一批人，但是给真正的绘画奠定一个基础影响的应该是他。他是进入历史的人。

从开始，任小林就率性画画，自由表达，不在乎规则，更不接受心灵之外的事物，这使他保存了艺术家最天然的赤子之心。而反面是，他盲目，过于自信。程丛林以一个偶像的身份出现，他的敏锐和巨大的批判力，他举重若轻的说服力和表率作用，使任小林明白，艺术有其自身的规则，走上内在道路是在解决自身问题，但并未解决艺术问题；要在自觉的前提下，走上内在的必然之路才是在解决自身和艺术的双重问题。至此，任小林十多年的绘画经历和惊人的才华终于开始发光。

重庆的牟群先生见证了这一点：

"中国当代油画复兴，实以'四川画派'为代表，70年代至80年代初，川中群雄并起，各领风骚，叱咤画坛。巴蜀古来地杰人灵，川中画家才情过人，聪颖无朋。小林本科后两年师从程丛林，耳濡目染，获益匪浅。程丛林为一代大家，胸襟广宇，忧患元元，疮痍疾苦，笔底波澜，然小林所学，非师之个性，乃师其造型语言之精神。小林画初，便好去绝题材、内容，而专布、色、油、笔之趣。丛林

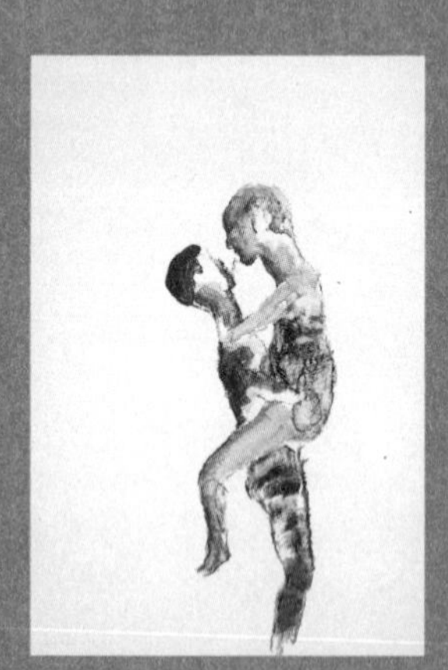

纸上系列

之语言形式魅力，乃寄载于结构实形之上，而小林则汲其雄视苍茫气韵，揉色错杂层次，去从林之确形，扬从林之挥洒。此时代表作为大幅油画《有扇形的风景》，师心不蹈迹，足证小林聪明。当时四川美院，思潮并起，学生少年，挑战于师，其口号：'第三代画家已过，第四代画家当立。'其主张曰：'将情性还与文学家。'小林却借悟师道，终成一家，四川画派之旨，亦默他于传人。"

再看他恩师程丛林对他当时的评价，他用"我所知道的口吻"："小林不善言辞，但画面上却心歌朗朗。见他作画过程中，一种用笔倒在另一种用笔下面；一种感觉屹立在另一种感觉之上；一丛形象掩隐到另一丛形象背后。在一方小画上他能月复一月，年复一年地耕作。有时，细针密绣，计较毫厘之差；有时，笔端纵横，将已成的画面淹沸在玄虚，在散乱和遗落中，他来回地探知和寻意，直至精绝。他的整个劳动向世人证明：灵感和工作，彼此不能分开，如同人的两个肩头。他生活淡悦而迷恋作画，在朝拜艺术之神的路上，他是一个温和而独到的人。"

事情越来越清楚，其实，任小林在学生时期，就获得了意义深远的认同：无论他受到了什么影响，他都用任小林自己的内脏消化过了，也许他还不够强大，但他的每一幅作品，都有着别人替代不了的任小林的声音。

安魂曲

任小林在生活中有点"迷糊"。一次，他订了一张机票，是17点多钟的，他楞是把时间理解为是晚上7点，自然，等赶到机场，飞机早就飞走了。还有一次，他给两位美丽的女性留手机号码，又各自漏掉了两个数字，完全不是故意的。他的初恋对象是现在的妻子杨艺，他们是四川美院的同学。

任小林说："她当时做了很难的一个选择。其实我很怕恋爱，每次恋爱都受伤害。我心又脆弱又执着，这个是很矛盾的。整个过程很痛苦。但痛苦一旦碰到麻烦，就像遭遇死亡了。"

他与杨艺门当户对，都来自军人干部家庭。杨艺温和、宽容，艺术感觉一流，是一个母亲般的情人。更重要的是，他们性格类似——对现实"不太想要什么"。

爱情对任小林是残酷的，因为要把自己封闭的一部分撕裂开来，放人另一种东西，因此这种痛楚与甜蜜不设防地成了他绘画的主题，有很长一段时间，至少七年，杨艺是他的"抒情女主人公"。18岁时，他画了《贵阳的街》。人物在里面是街景的一部分，形象很模糊，但仍可看出一对富贵的中年人趾高气扬、鼻息朝上地走过，而他们背后的一个人影却急速、紧张地穿行，街道上还有一杆孤零的路灯。很显然，他受到了夏加尔那些飞翔、幻想的失重力影响。但任小林没有在叙事，他企图抓住一种充满影射的情绪。夏加尔喜欢鲜艳的亮光，最怪诞的梦幻也表达得很坦率。可小林的色彩暗哑，情感指向飘忽，他企图言说不可言说的刹那情绪。

大学四年，从《习作》开始，到《安魂曲》结束，他留下的重要作品就有二十几幅，被称为任小林的第一个阶段，持续至 1988 年。内容几乎为清一色的女孩，大面积、块状的使用暗黑的色彩。《朋友肖像》、《前视》等一系列习作，色彩对比强烈，整个画面呈现出单纯和亚光的气氛。殷双喜评论道："略微拉长的形体，蓝灰色的调子，忧郁的神态，显示出格列柯的影响。所不同的是任小林的作品没有格列柯那种明确而略带神经质的轮廓线条，他一开始就注意到了形体在空间中的朦胧，表现出对绘画平面色彩的浓厚兴趣。"

同时，这一阶段的女模特的脖子都相当细长，类似于莫迪利阿尼画中的人物。但任小林没有想体现出悲剧，他的人物微含渴望、纯洁、羞涩。《头上有花的女孩》是他青春期惟一明亮的作品。女孩身穿白衣，目光平静、内敛，不动声色，但已怀春。很清楚来自少数民族，头上许多发辫，缀着各种饰物和黄色、白色的花。背景也像她无邪的脸一样柔和、温暖。1983 年，任小林入四川美院的第二年，相信他已在暗恋中体会到幸福。

在此，我还是想谈谈莫迪利阿尼与任小林的共同点。莫迪利阿尼从小就能流利地背诵但丁的《神曲》。他惟一的一次个人画展持续不到 24 小时就被警方关闭，因裸体"有伤风化"。在贫困和绝望中，他用毒品和酒精进行慢性自杀，35 岁便告别人世。朋友们像安葬王子一样把他送入墓地。他的情人珍妮与遗体告别后，跳楼自杀，为他殉情。任小林和他一样，只表现个人情感和性意识，女性并不仅仅是欲望对象，更是他们的女神，甚至是宗教。他们在本质上皆是一个诗人，把生命的细微处渗透到油画的画布里。虽然他们的风格相距甚远，但任小林和莫迪利阿尼有相同的质地，他们是艺术家里的兄弟。他们都远离时代，从心灵到心灵深处探求。荒诞派大师尤那斯库说过："上帝已在我心中，但离心灵深处还很遥远。"

任小林与他同年代的画家相比，绝对算是"意外"，在意识形态的力量如此强大，左右社会方方面面的时候，小林居然可以超然，如杜雨在《浅论任小林的抒情画》时说到的："完全嗅不出他有取材市井小民生活样貌的倾向，更遑论历史的题材，或大场面的社会事件。自 1984 年以后，他的每一次阶段性的变化都立基于前期的修正。都源于同一基调的变奏，因此，我们能相当肯定地断言，他的绘画艺术是忠于个人的感觉，而非从观念性寻找另辟蹊径的门道。毫无疑问，任小林的自满自足的力量，使他抵御了‘当代性’的腐蚀，仅凭这一点，就证明了他的天才。”1986 年对即将毕业的任小林具有转折意义。从《白头巾》、《吹笛人》、《鸟、花与人》，人的主体地位占据了整个画面，表情一致的安详，活泼的节奏出现了，几乎是蓝色与褐色组成的复调。装饰的效果明显、主动。克里姆特起到了点燃导火线的作用。最著名也最优秀者是他的毕业创作《安魂曲》，亦称《有扇形的背景》，是 2 米高、10 米长的巨制，采用了中国屏风的式样，每幅 1 米，共 10 幅。这幅作品中，对比又变得强烈、饱满，激情、力量均衡、流畅地交织在一起。川中历来巫气、鬼气炽盛，重庆就有丰都鬼城，国内惟一一处把阴间地狱的幻象搬到人间的地方。小林在回答栗宪庭时说：“屏风有点算是大块面的处理，题目叫《安魂曲》，人物也很虚的，画得鬼里鬼气的，有点变形，有点像西方唱歌剧的人穿的。”

可惜这幅作品在参加 1989 年“首届中国现代艺术大展”后，谜一样失踪了。

无论任小林这幅作品是否受到了莫扎特临终同名作品的启示，我们确实可以发现一个女性忽隐忽现的变化，黑衣、细如木棍的腿脚，直到出现某种公主加冕式的景象，这里面包含矛盾，一种声音在召魂，另一种声音却在赞美死亡。歌词唱道：

主啊，请接纳我们为赞美主而向主献上的牺牲和祷告，
为使今天我们所纪念的灵魂。
从死亡而超升入生命的境界。

贵州新文人画

1986 年，任小林又回到了贵阳，被分配到贵州师范学院艺术系任教。那年月，除了农民和被社会抛弃的无业游民，想要工作，一切得听从组织分配。学绘画毕业的，最好的去处就是学校和文化馆。系里给了一间宿舍，位于学校旁的半山腰上。他热情高涨，上课时经常亲自演示。据他的学生、后来的挚友赵峰回忆，有一次他在画画，任小林上前辅导，赵峰误以为是一个有点狂气的高班生，因为任小林只有 23 岁，与班上的同学平均年龄一致。很难想象他当时有点“愤青”，一个月的工资 80 元不到。他把大部分

收入用来买油料和画布，对生活要求极其简单。他有一个放钱的小铁罐，余钱放在里面，去食堂打饭就拿几枚硬币。他的时间安排得极其有规律，除了教课，就在宿舍里画画。他不喜欢热闹、人多的活动，比如演出、聚会他都会避开。那时没有电话，与外省传递消息要靠书信和口头传达，但任小林时常会把一些新的动态带给艺术系同仁。赵峰说他除了画画还是画画，他是“用一辈子做一件事的人”。任小林的耐心令人惊叹，他每次放下笔，都要用香皂把上面的油料洗干净，晾干，套上笔套，然后把笔挂在架子上，复杂的程序做得一丝不苟，从不马虎。他还有更讲究的一面：贵阳的小吃特别丰富，价格也低廉，“肠旺面”很有名，随处可见。他为了吃碗最地道的，经常会独自步行几个小时，一路上享受着贵阳的街景。

1988年，女友杨艺也来到了任小林的身边，并成了他的同事。他们搬回到父母家，一幢二层的小别墅里居住。任小林的父母还动用权力关系，在军区里给他找了一间很宽敞、明亮的大礼堂画室。两年后，他和杨艺顺理成章地结婚了，但并未举办传统的婚礼，一切都在低调、安静，与世无涉中完成，包括幸福。

任小林初次在美术界出名是在1989年，他的《五色天地》在“第七届全国美展”上引人注目，拿下了铜奖。画幅里元素众多，沉浸在一种斑斓的蓝绿调子里，装饰风格、表现主义、程丛林彝族系列的效果等影响很和谐地组合在一起。

之后，任小林进入了他的新文人画时期。

我们可以清楚地看出任小林这段生活的状态：闲散、平和、满足，注意力全都集中在闺阁情怨里，几乎省略了现实的压力。他用很小的画幅来言说女性慵懒、恬静的诗意感觉，像一首首婉约派的宋词。《镜子》、《石榴与妇人》、《鸟笼》、《黄昏的灯》、《春意》、《一只鹦鹉》、《梳妆》、《室内》、《一枝梅花》、《早安》、《墙外有了春意》、《诱惑》、《惊醒》、《倾诉》、《慵懒》、《乘凉》……从题目就可一目了然他表现的内容。事实上，评论家包括任小林本人对这批画的重视显得不够。文人画太具中国特色，对专业人士而言，有着逃避的倾向。梅兰竹菊、琴棋书画、士大夫的闲情逸志、半出家的心态，在意识形态上不具备冲击力和震撼力，因此很难进入主流话语体系。但任小林恰恰在离现代化最遥远的城市，完成了他隐居的日子。栗宪庭称他对这种生存感觉是“慵懒和虚无”：

“中国的传统文人画一向多表达‘超逸淡远’的出世情怀，倡平和沉静而抑激越火爆，甚至我常常觉得中国的文人文化在世界文化之林总体上展示一种阴柔带女性色彩的文化，其原因也许由于长期的生存环境造就了中国人这种阴柔的人格所致。任小林秉承的是这样一种文化传统，或者说他的性格中更多地倾向阴柔、平和、慵懒，而非争强好斗，才使他的作品有一种类似传统仕女画的意味。

特别在这样一个被速度、物质和喧嚣折磨着的年代，人们更向往的是‘虚’而非‘实’。任小林在无意之中用油画解决了‘虚度光阴’的问题。人类的本质并非努力工作，最深刻的使命就是如何消磨时光。”

苏东坡的《贺新郎》写道：

乳燕飞华屋，悄无人，桐阴转午，晚凉新浴。手弄生绡白团扇，扇手一时似玉。渐困倚、孤眠清熟。帘外谁来推绣户，枉教人梦断瑶台曲。又却是，风敲竹。石榴半吐红巾蹙，待浮华浪蕊都尽，伴君幽独。秾艳一枝细看取，芳心千重似束。又恐被、西风惊绿，若待得君来向此，花前对酒不忍触。共粉泪，两簌簌。

这首词描绘的意象，基本出现在任小林的画布上。并非暗合，而是良辰美景、缠绵悱恻在任何年代都是相近的。但任小林画中的“仕女”，不是柳腰细眉、低语凄婉的江南美女，是那种腰圆人粗、心胸开阔的母性女子。民间生活的味道扑面而来。男女合欢的性意识在这个时期还很正常、健康。男性角色在画面中频繁出现，但似乎是配角。对女性的领悟必须与养育她的土壤相结合。在中原土地上生长的美女就应该像唐三彩一般圆脸、肥臀、繁殖力强。而云贵山区的女子必带着质朴的风情，水乡女子则灵秀娟丽。任小林以妻子杨艺作为感觉对象，真情实感浓烈地弥漫在画面上，见证了任小林内外和谐一致的一段人生。

任小林这批贵州时期的作品，被美术界称之为“新文人画”。相比他之前的创作，这些尺幅较小的作品更显完美、统一，色彩上内敛、平静，构图上均衡、放松。像《镜子》、《鸟笼》、《结伴》、《墙外有了春意》等皆堪称杰作。虽然，任小林并没有为我们开辟新的情感审美点，但他继承了伟大的艺术传统，使匠心得以延续。

任小林一直是学西方油画体系的，但他体内的汉语文化血液，促使他慢慢地回头，走回东方。这甚至不是他努力选择的结果，而仅仅是听从了内心的召唤。他说，是一批从国外画册上打印下来的春宫图影响了他：

“我受有些插图的影响，它总是能在相对封闭的空间里给你想象的东西，总是半室内半外面环境的，是空间的分割。这种空间分割有一种新密感我很舒服，我可能借鉴了很多。”

牟群先生的评价甚为恰当：

“细品其画，色调掩浓艳于灰沉，情态藏姿纵于静恬，其趣寓荒诞于典雅、厥意化情欲入画理。艳而不媚，柔而不弱，轻而不浮，怨而不怒，放而不荡。心绪情灵与画面形成协拍自如，分寸得当。笔透色润，玲珑潇洒，别成一家。画品至此，位于神逸之间，自不可与俗人道。”

20 世纪 90 年代前后，任小林和杨艺在贵州完成了一段佳事。他们与世隔绝，据说学校老师为分房闹得不可开交，他们居然毫不知晓。多年之后，他们回贵阳整理旧物，发现一记账小本，密密麻麻记载了他们如何开支每一分钱。有些许自嘲中，他们难免会有“过去式”的伤感。

洗脚

故事

转折的人体

“要改变你的语言，必须改变你的生活。”当代伟大诗人沃尔科特如是说。贵阳多年，他与中国画坛几乎绝缘的风格，他发扬的“任氏点子式”笔触，一时效仿者众多，世称“任小林现象”。然而，在他的有限天地里，营养已被穷尽：和所有艺术家一样的困惑放在他面前，如何超越自己？ 1991 年，任小林到北京中央美院壁画系进修。1993 年对任小林是个转折，他的贵州新文人画创作已进入尾声。在程丛林先生的引荐下，他认识了台湾高雄“山艺术”的林明哲先生。在他们的帮助下，他的第一次个人画展，同时在北京国际艺苑、中央美院画廊、北京音乐厅画廊三处地方展出。同年 4 月，台湾“山艺术基金会”出版了《任小林画集》，收集了任小林 1981 年至 1992 年间的作品 96 幅。他的前辈、老师牟群、杜雨、殷双喜、程丛林、刘骁纯各自为画集作了论文式的序言。任小林谦和地为自己作了“小传”：

西湖梦之八

“我从 1982 年后从事油画专业的学习，在近 10 年的习作中，我对油画语言有了一种较稳定的认识与领悟。在此期间我总是尽量从传统的油画文化中发现我所需要的因素，我想比较直接影响我今天的绘画风貌的画家有毕沙罗及同时代的画家。我发现就我的个性而言、发现并使用一种文化观念不如达到一种令自己满意的绘画质量更为重要，为一种融进了自己的想象、偏爱的绘画魅力工作是我要做的事。”

西湖梦之十二

艺术商业化直到 90 年代中后期，才在大陆上被普遍接受。任小林算得上是“春江水暖鸭先知”。第一次个展之后，林明哲

另类

山水

先生和“山艺术”收购了任小林一批作品，他拿到了30多万元人民币，转身从一个穷老师变成了小财主。在当时，这可是一笔巨款。可只会记记账，经济头脑全无的任小林夫妇，并没有把这笔钱用以购房，置不动产，而是逐步地把它消化掉了。他说：“我们关注的这个东西，没想到会是一个挣钱的东西。实际上看看挺可爱的。但是后来我发现，一些懂游戏规则的人也在做这样的事情。”

1993年之后的变化，可以说让很多熟悉他的朋友有点惊讶，他一改自己优雅、平静的目光，以一种扭曲、丑陋的形体代表了以前的柔美。他高调地宣称：“我自己感觉文人画的结束就是我青春期的结束。”其实，任小林发展至此并不偶然，一枚60年代“红旗下的蛋”，其基因蕴含着暴力、破坏欲。只要条件适宜，必然要爆发出来。差不多有五年时间，他在画集体澡堂子里看见的男人：赤裸、淫贱、低俗、一堆废肉、有同性恋倾向的裸体。虽然这也是任小林从生命之源里流出来的，但并不讨人喜欢。刘骁纯说：

“看这些画就像在一堆烂泥中跋涉一样，恼人扰人烦人，让人难受让人发堵让人别扭，那烂泥虽时有一种诱人的温润，但转瞬就烦得你想发火都发不出来。这是半裸或全裸的男女，结构像布娃娃一样，没有结婚，一堆堆肉的颜色像烫过的死猪泛着紫灰，莫名其妙的人物发生着莫名其妙的关系，刮刀在画布上抹来抹去像抹泥一样让人腻歪……”

而另一方面，刘骁纯先生对他作画技艺的努力给予了一如既往的肯定：

“与内容的变化同步，这批画的工具由以笔为主变成了以刀为主，技法由以画为主变成了以抹为主，肌理由以涩为主变成了以平为主，但他对光色形体、刀笔油彩的敏感却没有失去。他依然喜欢使用滤过油的油彩，喜欢它那没有光泽的沉稳，喜欢它给走笔运笔带来的阻力；他依然对走笔运刀、刀在画布上留下的色层痕迹十分投入，依然迷恋作画过程；依然极度重视光色形体、刀笔油彩自卑的精神性，依然将形象塑造、形象组合所隐喻的精神性置于光色形体、刀笔油彩自身蕴涵的精神性的根基之上。”

预言家和先知必须更好地保护着自身的原始性，像触须一样，可接受来自神秘处的信息。任小林也像一个从桃源深处出来，突然闯入现代社会的“小国寡民”。原先的一切礼仪崩溃了，他敏感到即将来临的“性灾难”。

如果说之前青春期的任小林是农业社会的孝子，一个美学意义上的旁观者，那么，现在，他想加入到“现代”。他的行为在心理早有准备。他决定用病态和尖锐的偏见建立他与世界的新秩序。21世纪前10年的中国，一切价值正在人们的怀疑中摇摆着重建。任何诗人、艺术家，无论他如何避世，即便如陶渊明之高士，也肯定需要经历一段和复杂的现实交汇的阶段，能否适应是另一码事。

从早期的单人肖像，到两人情闺生活，再到多人杂乱的场面，可以分析出任小林人际关系的脉络。他从孤僻，进入并适应爱情婚姻，又陷入人与人之间杂乱紧张的交往。他的直觉摆脱不了纠缠着他的斗争阴影。

1994年那幅《惊之二》就显露痕迹：仍旧是夫妇二人为主线，但又各自在身边出现模糊的人。他们急速坠落，下面出现了某种漩涡的力，他们似乎是被卷入了某种失重状态。人形变得有点神经质。紫色的神秘笼罩着画面。几片带红心的绿叶也充满了窥视感，如同兔子的眼睛。

《和局》也意味深长，影射了男女关系的微妙。但任小林那时的心态仍然是暖色调的。我之所以如此分析，因为对任小林这样一个具有“自白”意义的艺术家，每一幅画都包含了他的自传信息。是的，艺术比艺术家更真实。像任小林这样一个单纯、不世故的人，不会背叛画面上的任何一点。

尼采说希腊人写悲剧是因为他们战胜了悲剧。维特根斯坦说的是：“能对自己进行革命的人才会成为革命者。”这两句话合在一起，是说任小林越过了道德禁忌，颠覆了自己。

《点灯》还保留着某种象征意味，到完全以黑紫为对比色的《闲散》，则描绘的基本上是赤裸裸的性事场面，念头几乎没有修饰。《夜论》系列，描绘的是同性恋，人物内心刻划得惟妙惟肖。因此，栗宪庭会想起《韩熙载夜宴图》。其实，这种联想不太正确，后者以享乐主义为核心，而任小林呈现的却是反享乐，是非正常色情对人性的毁灭感。

艺术家对影响的命题一般隐讳。其实每个人都有源泉。任小林多次承认印象派对他技法上的影响，特别是毕沙罗。但表现主义的蒙克对任小林的影响更明显。后者甚至给了他心理上对抗“正面”势力的力量。

到这儿，我必须承认，任小林确实是一个病态的迷狂者，一个真正的天才。他用危险的方式告别着青春。

性与情感

我经常表明一个观点，任何一个人的血液里都是从远古奔流到今天的，其中混合了男人的血，女人的血，贵族的血，低贱的血，杀人犯的血，妓女的血……没有一个人的血是纯粹的、单一的，所有血液都是混合的。因此，我们皆有一颗复合的灵魂。问题是，仍有某种“投胎”，把一个人今生的某一点基因给加强、放大，构成了命的核心。比如马蒂斯，他天生就为了“简化”事物。比如高更，适合“原始”生活。比如任小林，他挣扎在“性与感情”之中。

一个自觉的艺术家会更明确地正视自己的局限。任小林不关心理论，他只信赖直观的体悟，他只忠实于血液里那种必然的召唤。日本当代诗人大冈信写到：

诸世纪从事创造的年轻人，都是
超凡的禁欲家。并且，又都是
那涂满亮晶晶蜜液的
女性的崇拜者。

任小林就是这个从事创造的年轻人。两个世纪以来，性行为如果不是为了生殖需要，就别想得到承认和保护，也别想得到发言权。如米歇尔·福柯所说，性的历史首先必须被视为压抑越来越严重的编年史。任小林从绘画艺术角度，涉及性文化研究，不仅证明了他的勇气，也证明了性文化的活力。

其实，明代后期的风流才子唐伯虎画过许多仕女图，他以喜爱的妓女、情妇为裸体模特，画得惟妙惟肖。之所以他与出入青楼的北宋词人柳永都成为民间传奇，恰是因为他们的真实性情。与唐寅齐名的苏州人仇英也描绘了很多古代男女性生活的方方面面。任小林“新文人画”时期的作品比较接近明代风格：意趣清雅，人物秀丽。据说，画在屏风和四壁上的狂欢图，称之为“秘戏图”，元代大家赵孟頫因此成名。现象很奇怪，这几位历史名流都生活在出产丝绸和美女的太湖之畔，而任小林的祖籍亦在同一地点。

性背后的东西很复杂，并不是单纯上床的事情。任小林认为性对人的刺激是在想象中产生的：

“我从小就喜欢接触一些跟我不一样的人。因为他们对我来说，都太稀奇了。那时候，认识一个女孩子，黑乎乎的，我觉得特稀奇。因为她的那个阶层跟我接触的都是不一样的。一天晚上，她倒了一杯水给我，我还喝了。后来肯定是没见过了。”

不算初恋。我觉得那是异性的吸引，这跟恋爱没关系。这种异性的吸引，对你的心灵是有震撼的。因为这种震撼是你没经历过的。一个人会有很多种震撼，可能是我生活太封闭了。一次我到一个同学家里去住。早上起来漱口的时候，发现我们拆迁办的一个主任居然在他家隔壁出来也在漱口，因为他家隔壁想请那个主任帮忙什么，想得到一些好处，就让主任在她家睡了。那时候觉得挺刺激的，我们那个年代没见过这样的。就是一个交易，但对于平民来说，很正常。面对现实的时候，是迫不得已。当时，内心很震撼。

后来我发现，我一直都在寻找一种震撼。我认识的人全是偶然的，外边的人想说话，我一般都不想开口说话。但是后来碰到一个女孩子，她不说话，我想询问她。后来发生的一些事情就开始了。那时在北京，我们经常通话，但是这个女孩每次住的地方都不一样，给人很丰富的想象。因为我太理性，可能不会碰这东西，但我会借助她。我不喜欢关在圈子里的人，至少对我来说，不好玩，不刺激。特别青春的东西直接进入我内心。

与普通人不同，艺术家精神有个构造，这个构造需要定期加一些东西，不然精神就会枯竭和死亡。但个体差异像指纹一样可以鉴别。同样离不开女人，但毕加索把女人当成战利品，他需要通过征服女人，满足他的性、权力和虚荣的欲望，他以毁灭为快感。而任小林把女性当成一条矿脉，他要探索女性情感内最神秘的结晶，他迷恋女人堕落、脆弱和疯狂的那部分，迷恋女人的复杂。女性实际上是他性幻想的对象。他崇拜女性，因为她们不可捉摸的迷惑性。从他的谈话里，可以得知，他会爱上邻家女孩类型里最荒唐的那位。任小林会一次次恋爱，每一次都认真投入，获得激情。悲哀的是，他和毕加索相同，他们都把女性当作了药物，用来治愈各自的疾病。任小林承认，艺术家全是病人。

大多艺术家都经历过穷困潦倒的时期。任小林没有，他一直很顺利，他没有谋过别的生计，凭绘画（包括教学）就解决了所有经济来源。不急不躁、按部就班地在稳定的环境里成长。正因为如此，他对稳定有着惯性的厌恶。但行为上，任小林仍然小心翼翼的不敢逾矩，他的破坏几乎通过心理活动而完成。他觉得人类生活很残酷，一开始好的东西往往会遭遇很多不好的，但恰恰那时又是生命力最活跃的时候；等到稳定下来，就变成亲情了。亲情当然很好，因为人类需要各种各样的感情。以爱情的角度说，亲情就很残酷。就我们的宿命来说，任何一种感情都会死亡，但当接近消解或者死亡结果的时候，我们会觉得生活还是极其残酷的。

对普通情感的恐惧，使他恋爱结婚近20年，拒绝考虑生孩子的问题。平民的家庭幸福感是他的一个梦想。

花家地

终于要长别贵阳，以前都是短暂分离。在中央美院进修的经历，使任小林与他的出生地接上了头，导火线点燃了。在贵阳继续画下去的空间变得有点窒息。而北京那边的信息源源不断地传来：画展、国际交流、签约、获奖、事件……1999年，任小林以陪读杨艺的名义又到了北京：

“说起来北京特别偶然，我估计像小波他们来都是很有准备的。我是因为杨艺进修，特别偶然碰见晓刚了。晓刚以前说，你到成都来吧，你在贵阳待得挺烦的。后来我一想，成都我也挺熟的。我当时就说如果我两三年在贵阳实在混不下去了，我就去成都投靠他们。1998年的时候老栗也跟我说过，你干脆就加入成都他们那边，你一个人在贵阳待着挺难过的。晓刚说，你跟画画的人都没有联系，属于一人在那边瞎混。我说，好，既然杨艺想来北京进修，我就走远点儿，等进修完了我就来成都找你。结果晓刚离婚了，北上了，就在北京碰上了，生活中的事情都特别偶然。”

作为政治文化中心的首都，毫无疑问是名利场。对功名的追求是人之常情。但对任小林这样一个不争强好胜的人而言，选择是逐渐形成的。实际上，已有两年，他在贵阳已处于“无动力”状态。才情似乎枯竭，找不到突破点，并且通过外界刺激引发内心变异的概率很小。因此，脱离惯性，获取更大的创造力，势在必行。

每个时代都会找到一个地点，一批人成为代表。比如15世纪的佛罗伦萨贡献了但丁、达·芬奇和米开朗琪罗。20世纪上半叶，风水又落在了巴黎，雄心勃勃的年轻人像赶集似的云集于此：阿波利奈尔、毕加索、马蒂斯、艾吕雅 、让·科克托等等。现在，纽约又占据了上风，全世界艺术家又把目光投向了苏富比拍卖行。如果把空间缩小一点来讲，21世纪前后的中国，艺术家“浮动的盛宴”没有悬念地放在北京。

一般而言，艺术家都是无政府主义者，在自由、颓废的状态里领悟人性之美。他们是吉普赛人，是人类灵魂的巫师。他们以极端的个性为生活基础，而又贪婪地渴求同类的温暖，这就使得艺术部落必然会在合适的土壤上产生。巴黎有“洗衣坊”。纽约有“东村”。而北京从90年代开始，“圆明园村”成了流浪画家的乐园。他们来自国内各处城乡，留着长发（符号般统一），囊空如洗，满怀梦想，他们站在主流意识形态的对立面，建立着自己的价值体系。在社会学层面上，他们成了户籍管理制度最有力量的挑战者。“圆明园画家村”人数鼎盛时期有好几百人。1995年，当局取缔了他们在乡村居民大院里的狂欢日子。既而，人流又分离、聚合在上苑、宋村、滨河小区等城乡接合处。

任小林在年表上记录着：

“2000年3月正式在北京花家地生活。与“北漂”画家张晓刚、陈文波、马六明、傣正杰、曾浩、邱志杰、宋永仁、林晓东、韩丛武等合群居住于北京朝阳区花家地西里116栋，其间认识了众多名流人物，如黄燎原、丁伍、李红、杜杜，开始与中国当代艺术家有了真正的接触，并感受其与中国现实一样巨大的变化。”

警幻之境

花家地与别的群落相比，是第一个位于市区的。这种选择无论自觉与否，都直接地表达了他们隐秘的愿望：逃离农村，融入时代潮流。他们是一个分水岭：艺术家不再是早期的那种原始、杂乱、良莠不齐、无序的大集体模式，而转变为更理性、讲条件、会员制式的。花家地的画家在来之前，基本上已有所建树，可算得上“一方诸侯”，衣食无忧。他们是希望在更高的层面自我实现。黄燎原说：“花家地的艺术家不属于无助组的类型，他们每一个人都有自己的一方天地，他们在一起，像天上云与云的交流，地下水与水的沟通，他们属于一个‘桃花相映红’的集体。”

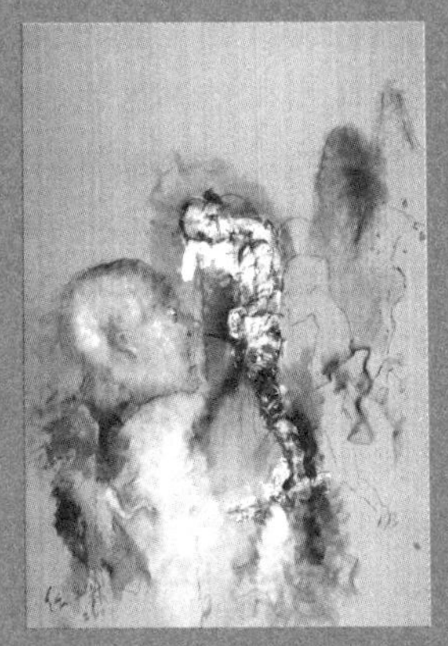
醉花阴

赵峰有一次去看他。任小林和杨艺租了两个小套间，都不太大，一个做居室，一个做画室。“我一看，比起贵阳艰苦多了。但小林心情很好。卧室仍布置得像以前一样温馨、整洁。他请我去一个很好的餐厅，小林和我都不会喝酒，他和我聊花家地的一批朋友。”

从多年习惯的个体生活转变成集体生活，任小林转变得很慢。大致花了三年左右时间。好在有杨艺，他们是花家地惟一一对艺术家夫妇。他们相敬如宾的婚姻关系，让旁人羡慕不已，被当作楷模。这是一个相互认同的环境。

说起花家地，不得不提张晓刚，他是花家地的领袖，是才智、魅力、性情在整体上统一、均衡的人。他懂得微妙、和谐地处理日常事物，他的力量和声望为一种良性文化发展提供了保障。目前他已是一个具有世界影响的重要画家。他和任小林有相同的成长背景：云南和重庆。他对诗人欧阳江河说：

“我要走的路应该既是中国的，又是当代的和个人的。这是一个最基本的想法。只有回到国内面对混乱而又熟悉的日常生活环境，我才有依托，有画画的激情和冲动，想要用艺术创作来表达对现实的看法。”

任小林非常肯定他好朋友的清晰看法，然而，他们之间的绝对区别在于，任小林只表达内心的现实：

“花家地很好，晓刚常常怀念，哎呀什么时候我们是不是还在家里做饭啊。我说现在怎么可能哪？我说现在我们做个菜还得带到‘大西洋城’吃，原来端个小板凳，板凳不够，才几年啊，现在完全不一样了，现在花家地已经变得完全资产阶级化了。”

不久前，任小林对栗宪庭如是说：

“一个人到了一个陌生的环境，结识了一批优秀的人，感触颇多，如果仅此而已，意义并不太大。花家地给予任小林最宝贵的礼物，是改变他一些基本观念。原先他很相信文化传达给他的感觉，现在他会怀疑，不那么尊重。现实生活的力量更强大地影响着他的内心。事实上，艺术的高度就是人自身的高度。在平时，我们其实不用看艺术家的作品，看看他是一个怎样的人，就基本能判断出他的水准。当然，判断者要有前提。布罗茨基说过：‘艺术不是一种较好的选择，而是一种可供选择的存在。它不是一种逃避现实的企图，而正相反，要使现实富有生命。’”

至于他们的战友关系，黄燎原如下描写：

“花家地的生活简单而热烈，艺术家们一般是下午各自在画室工作，晚饭时间电话相约，或在某人家或在附近的某个餐馆（早先通常是院里的湖北菜馆三五餐厅）聚餐——群体生活从此开始。吃过饭，大家又会聚到某人家，喝酒或者打牌（后来又兴打台球，艺术家们个个手持长竿，像战士也像渔民），直至天光大亮。第二天又翻版头天的生活。第三天又重头再来。花家地生活的变异一般来自某种外力，比如艺术家出国参展，比如村里有外边来的朋友或其他访客（批评家、策展人一类），当然也有艺术家共同发起春夏秋冬游的时候。这里的艺术家生活得懒散而舒适，像鸟飞晴空，鱼翔浅底，那种自在自然的蜿蜒和曲折，令人艳羡。”

警幻

一般而言，内向的人对新环境的融入往往比较被动、缓慢。环境改变了，观察者的目光必然会变，但要重建价值体系并不容易。任小林花了两三年时间才找回感觉：

“头三年我基本也没画什么东西，画也画得很难受，既有北京新的东西对我的影响，又有我恋恋不舍的一些东西的纠缠，左右摇摆。”

策展人唐昕女士在2005年编著了《花家地》一书，她与亲历者们进行了全方位的对话，她用肯定的语气告诉任小林：在花家地期间每个人都有不同的变化，生活也变得不一样了。

正是在这种焦虑感的驱使下，他拼命地奔波在各种现代艺术的展览会上，企图获得启示。他对现代艺术的理解就是在这个阶段开始的。称得上是补课。但这种认识绝对重要。

首先对艺术的看法，说白了还是对生活的看法。对艺术的看法到了这种年龄不是特别爱争论了，最后折射出来的都是对生活的看法。

而从他的作品中也可看出他内心的历程。其实在2003年，他仍创作了《春衫湿》、《西湖梦》、《沉迷》、《酒香》、《风月》等一系列延续贵州人文画风格的作品，感觉家庭气氛有所减弱，人体上的力度和肌理有所加强。这批画丝毫没有贫乏的迹象，非常成功，但新元素并不明显，还是他以前美学观念的反映。

值得关注的是他在2001至2003年期间画的一批“纸上系列”：没有背景，全是单个或双个人物，用色一改之前的暗色，尝试各种鲜艳的油料，人物基本上处于呕吐状态，可看作是小林的自画像，清一色的侧面，双人物的皆是男子用性的方式承担的女子的身体。就作品本身而言，并不完善，有些几乎像某幅画的局部。然而，从任小林的心理而言，这批未完成式的东西恰恰预示了即将到来的变化。首先呈现的是色彩和人物形象的明显异样，反之，又看出他还没有为他作品中“抒情男女主角”找到一个生存语境，一个戏剧布景。

之后，2003年至2005年，任小林又一个创作高潮来到了。

再之后，杭州三尚艺术为他这批杰作取名“警幻”，在上海举办了个展。

“警幻”一词仅从字面上可解释为要警惕某种虚幻的事物。然而，切题的意思却来自“警幻仙姑”这一仙界女性。在中国历代神话中，没有出现过这一人物。到了18世纪，她突然现身在曹雪芹的《红楼梦》中。在第五回《游幻境指迷十二钗 饮仙醪曲演红楼梦》的章节里描写道：

那仙姑笑道：“吾居离恨天之上，灌愁海之中，乃放春山遣香洞太虚幻境警幻仙姑是也；司人间之风情月债，掌尘世之女怨男痴。因近来风流冤孽，缠绵于此处，是以前来访察机会，布散相思。”

学者邢卫华认为“太虚幻境”就是人类社会“最早最大的虚拟世界”，而“警幻仙姑”就是告诫人类社会不要钻进这个虚拟世界的预警者。太虚幻境除正宫“孽海情天”之外，还有几处：“痴

风水之一

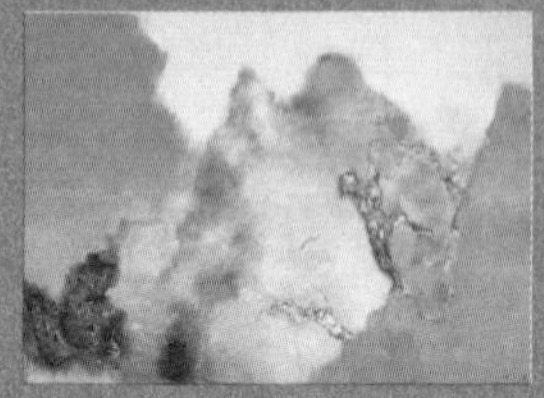

风水之二

风水之三

江山如昔之二

情司”、“结怨司”、“朝啼司”、“夜怨司”、“春感司”、“秋悲司”。

下面这段警幻仙姑与贾宝玉著名的对话，点出了任小林这期间作品的核心：

歌毕（红楼十二支曲），还要歌副曲。警幻见宝玉甚无趣味，因叹：“痴儿竟尚未悟！”那宝玉忙止歌姬不必再唱，自觉朦胧恍惚，告醉求卧。警幻便命撤去残席，送宝玉至一香闺绣阁中，其间铺陈之盛，乃素所未见之物。更可骇者，早有一位女子在内，其鲜艳妩媚，有似宝钗，风流袅娜，又如黛玉。正不知何意，忽警幻道：“尘世中多少富贵之家，那些绿窗风月，绣阁烟霞，皆被淫污纨绔与流荡女子悉皆玷污。更可恨者，自古来多少轻薄浪子，皆以‘好色不淫’为饰，又以‘情而不淫’作案，此皆饰非掩丑之语也——好色即淫，知情更淫！是以巫山之会，云雨之欢，皆由既悦其色，复恋其情所致。吾所爱汝者，乃古今天下第一大淫人也！”宝玉听了，唬得忙答道：“仙姑差了。我因懒于读书，家父母尚每垂训饬，岂敢再冒‘淫’字？况年纪尚小，不知‘淫’字为何物？”警幻道：“非也！淫虽一理，意则有别。如世之好淫者，不过悦容貌，喜歌舞，调笑无厌，云雨无时，恨不能尽天下美女供我片时之趣兴，此皆皮肤淫滥之蠢物耳！如尔，则天分中生成一段痴情，吾辈推之为‘意淫’。‘意淫’二字，唯心会而不可口传，可神通而不可语达。今汝独得此二字，在闺阁中固可为良友，然于世道中未免迂阔诡怪，百口嘲谤，万目睚眦……吾不忍君独为我闺阁增光——”

可以说，对于任小林，警幻仙姑在精神上是引领他上升的女神贝雅特莉契，在肉体上是海伦，在语言上是山露佐德。

人称叶帅的著名画家叶永青，与任小林的关系从重庆四川美院就建立了，亦师亦友，相互欣赏。他说小林是“冷眼看潮的行吟诗人”，并且有魏晋隐士的士大夫情绪，是孤寂心灵的梦幻游戏者。而冯博一更倾向于把任小林当作“生活在别处”的白日梦患者。种种说法，自有合理之处。但任小林确实在骨子里是大观园生活还未展开，金陵十二钗正副册刚翻阅时的那个贾宝玉，停留在“初试云雨情”的意淫状态的贾宝玉。

从《江山如昔》（之一至之五）开始，江南的绿色弥散到画布上，效果处理接近水彩，虚幻微微跃动。情感、虐待等场景交织反复出现，但画面很美，不激烈，让人感觉平静。在这个阶段他同时进行着几个系列的组画的创作。“意淫”就是任小林作品的核心。

《西湖梦》系列，人物置身于家庭和社会背景，隐约传递出现实的信息。《警幻之境》系列表现的是纯人物在抽象环境里的行为。《山水》系列，则将山水作为与人物对话的内容。《风水》系列则巫气又涌现画面。实际上，任小林作品在主题上只有一个“性与情感”。但主题一旦进入不同的“语境”，则画面的陈述受不同的力控制，视觉印象会全然不同。

系列组画的创作适用于自觉的艺术家，不然会变成重复浪费。对任小林而言，通过对差异性微妙的领悟，一方面可不断深化情感，另一方面注意力集中到结构和色彩本身。英国哲学家卡尔·波普尔有一个“三个世界”的理论：客观世界、主观世界，第三是思想客观内容的世界，是科学思想，诗的思想和艺术作品的。第三世界亦称“自在陈述”的世界。要抵达最后层面，必须先穿越客观和主观世界。我想说明的是，任小林在他的《山水》和《风水》系列中，已进入了“自在陈述”的状态。很显然，人物意象在这两组画中，虽然与前面相比，变化微小，但整幅画面里观念的痕迹越来越少，仿佛建设了一个独立世界：画中人物在自己的环境里自由游戏，他们不由画家随意控制，他们有他们的规则和必然性。一旦画家强行进入，平衡势必会被打破。问题是打破仅仅使美学层面降低，那就毫无意义。任小林在“警幻”阶段，用他的“意淫”构筑出他的“太虚幻境”，是迄今为止他所达到的最佳状态。

西湖梦

2006 年 7 月下旬的一天，我和任小林在西湖天地的一家咖啡厅里，顾客稀少，音乐也很安静，只有恍若隔世的服务员在忙碌。从落地窗望出去，近旁是蓝得像假一般的水。不远处山上是保俶塔。我们知道，随处都流传着白娘子和许仙的故事。在苏堤上，葬着钱塘苏小小，一千多年了，她无边风月的气息浸染了杭州城的空气。任小林的气质里含着忧郁。从我们这儿看出去，与外面是一体的，同样清凉，可实际上外面炎热无比，是另一种生活。他说：“杭州代表了一种人气象征，很多年我的画就带这个气，这个气可能是我自觉和不自觉的。气对艺术家并不重要，主要的还是完成他的一个心理事情。比如说，园林代表了一种封闭环境。画建立在一个什么样的精神范畴才有意思。越封闭，越沉迷，越有刺激。我只能在一个有细节的环境里。”

任小林并不熟悉杭州，他对西湖甚至有抵抗情绪，杭州到处温和，他害怕陷进去，会被缠绵、糜烂的东西粘死。他把内心的文化寄托留给了西湖。他与西湖神秘莫测的缘分像一个谜。

在北京，任小林习惯于每天到上岛咖啡静坐，观察周围的人。他反复强调画家是一个工人。他几乎每天画画，似乎很勤奋，但产量很少，一年最多20幅左右。其实，他确是一个二律背反的一个整体，在对立、极端里得到统一的人。

在当今国内各种绘画流派中，任小林是最孤独的，任何评论家都无法将其归类。他只是任小林式的。虽然，小圈子认同任小林是一流画家，可他的名声根本配不上他的作品。有性格原因，有大众的盲目和题材的局限等原因，但归根结底是艺术家内心的怯懦。我一直反对边缘和中心之说。因为只有时间才能证明谁是中心，谁是边缘。当下的中心往往依赖集体和传媒的势力。而有些所谓的边缘，可能恰恰是"风暴眼"，是创造的源泉。

但还是存在令人欣慰的声音，比如黄燎原：

"任小林绘画是对中国现代艺术'同一率'的一种嘲讽，任小林从题材到技法的偏离，使他和为数不多的几个艺术家，孤独地支撑着'中国多元化当代艺术'的幌子。在这个日渐趋同、不鼓励创新的工厂制年代，任小林的创作正一天天显示出新鲜的活泼和活力。当一地春水开始搅动，我相信任小林将成为最有国际市场竞争力的艺术家，因为他的'中国思想'和他的特立独行。"

确实，艺术家需要认同，然后建立更高的认同，这就会让人获得力量。到最后，所有的力量都会变成自己的力量。

与小林的谈话，让我感到他并不在意名利。他认为他撞上了一个好时代，因为个人的伟大只是创造了一个意识、一个精神的状态，但是生存质量的高低是时代的伟大所给予的。若安·米罗的一句话适合于他："深刻的个人行为是销声匿迹的，默默无闻可以得到整个世界。"

人类进化了这么多年，人性几乎亘古不变。因此，艺术向意识形态、世界主义、时代大众等权威谄媚，实际上并无多少价值。纵观任小林的发展历程，多年来，他一直追求生命的纯粹体验，服从他内心冲动，拒绝参加竞技，到现在，他并没有失去什么，他甚至获得了一次次超越自己的动力，获得了一种向大师和绘画本身致敬的能力。

在油画里，和中国传统绘画发生精神关系的人凤毛麟角，究其原因是艺术家个人的心力问题，他是否有足够的力量让外来的艺术形式在本土上生长，在他自身的文化里生长。任小林的独特魅力在于他的油画体现出了中国传统文化精神，并且没有移植过来的痕迹。他的贡献在于他培育了一种感受力：用色彩和性超越道德。他的价值在于集体主义泛滥的年月，他用逃避的方式坚持了个体的自由心智。

与同时代的油画家相比，任小林率先平衡了传统与变化之间的关系。他似乎与生俱来就是一个古典主义者，一位艺术上的“保皇党”，他的叛逆出自“原罪”。他做的梦完全是汉语养育的梦。他归属于一个“阴性家园”。

然而，他的不稳定性和他的情感一样明显。他的作品质量参差不齐。每次，当一个新的模特形象进入他的画面，他的迷惘和痛楚随之开始，他会探究她，探究她背后的秘密，包括她充满陌生感的生活。然后，他会把她放入到一个戏剧化的环境里，让她成为一部分，当一切变得圆熟，他的情感冲动也就消失了，等待另一轮的循环出现。但每一次肯定、否定都是建立在原先的层面基础上，这就是任小林单调的固执的隐秘。在生活意义上，他是一个旁观者，但不是局外人。

当然，任小林还在一个未完成的时态里，他需要在“高兴奋点”上用作品数量来巩固他的丰富性。从 2005 年到 2006 年经常出现的一位女性形象来看，他又处于焦灼状态。但仅从色彩判断，他又加入了一些水泥灰色，或许他的西湖梦会转向有细节的工业区域背景。一个女性胆怯的神色或许会有暴力、紧张的气氛。但相信任小林会用缓慢的抒情来表现那种不稳定，甚至恐慌、荒诞的气氛。

艺术家和诗人似乎天生是一个虚度光阴者，他们在碌碌无为的状态里感受细节。他经常开着车，无目的地游逛。他会把车停在偏僻的旧公路上、小树林里，吸烟，沉思。他说：“南方的都市都有细节。在北京，去一个地方一般开车要 40 分钟，堵一下就是两个小时，本来想到某处去，快到的时候无意思了。有点像卡夫卡描述过的那样荒诞。我喜欢到东北去，对我是另外一种感觉。”对任小林而言，也许现实仅仅是他想像的一部分，他不停地混淆现实与艺术的界限。艺术的本质也许是在时间中重组对生命的感觉。

目前，整个艺术现象喧闹无比，任小林未能免俗，频繁地参加画展和活动，但我信赖他会努力调整自己的精神结构，作为一个严肃艺术的继承人，他肯定清楚：

终究，我的天赋会超越水
和水，用世俗的
一地鸡毛，将房梁提高。

最后，我想起了黄燎原和他的一段对话：“有时候我会指着一幅画问任小林：‘画完了吗？’他要端详一会儿，然后可能会说：‘完了。’但隔一会儿，他可能又说：‘也不一定。’”

REN XIAOLIN

任小林

WORKS

[illegible]品

一种关怀　油画　60cm×60cm　2007年

血色　油彩　60cm×60cm　2007年

一个人的黄昏　油彩　60cm×60cm　2004年

红色的身体　油画　60cm×60cm　2005年

乐园　纸面油画　79cm×100.5cm　2006年　(P38～P39)

风景　油彩　130cm×120cm　2006年

镜花缘　油彩　130cm×120cm　2006年

洗脚　油画　60cm×60cm　2005年

故事　油彩　60cm×60cm　2005年

山水　油彩　260cm×80cm　2006年

山水　油彩　260cm×80cm　2007年

山水　油彩　260cm×80cm　2007年

山水　油彩　260cm×80cm　2007年

山水　油彩　79cm×55cm　2007年

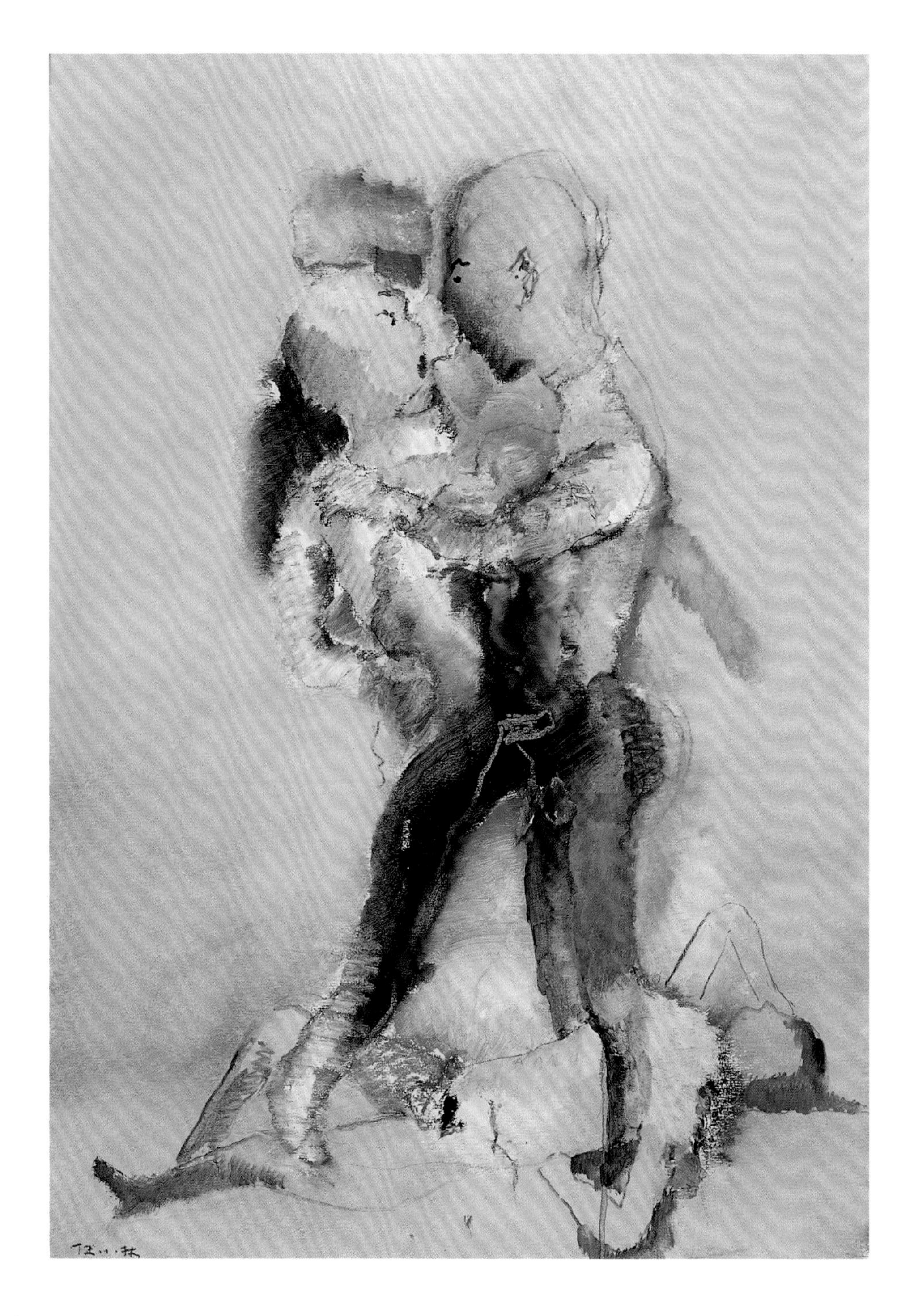

另类　纸上作品　79cm×55cm　2007年

躺着的女人 纸上作品 79cm×100.5cm 2006年 （躺着的女人 局部 P49～P50）

躺着的女人　纸上作品　79cm×100.5cm　2006年　（躺着的女人　局部　P52～P53）

纸上系列 纸面油画 100.5cm×79cm 2006年

纸上系列　纸面油画　100.5cm×79cm　2005年

纸上系列　纸面油画　80cm×55cm　2004年

纸上系列　纸面油画　80cm×55cm　2005年

纸上系列　纸面油画　78cm×56cm　2005年

纸上系列　纸面油画　80cm×55cm　2005年

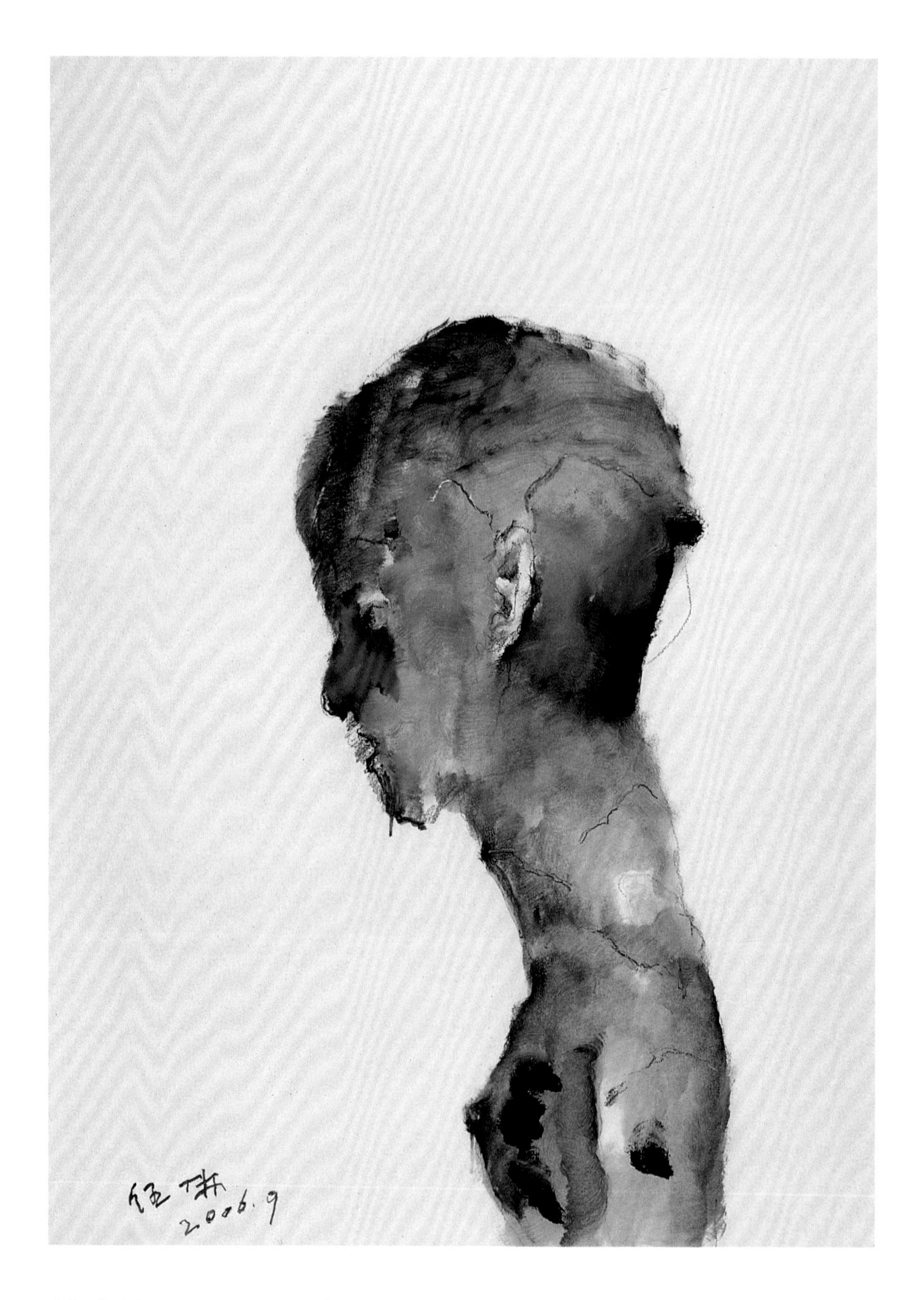

头像　纸面油画　100.5cm×79cm　2006年

头像　纸面油画　100.5cm×79cm　2007年

警幻之境三　布面油画　190cm×280cm　2005年（P62--P63）

西湖梦之塔影　布面油画　60cm×60cm　2005年

西湖梦之花好月圆　布面油画　60cm×60cm　2005年

西湖梦之人影　布面油画　60cm×60cm　2005年

西湖梦之云影　布面油画　60cm×60cm　2005年

警幻之境　布面油画　280cm×190cm　2006年

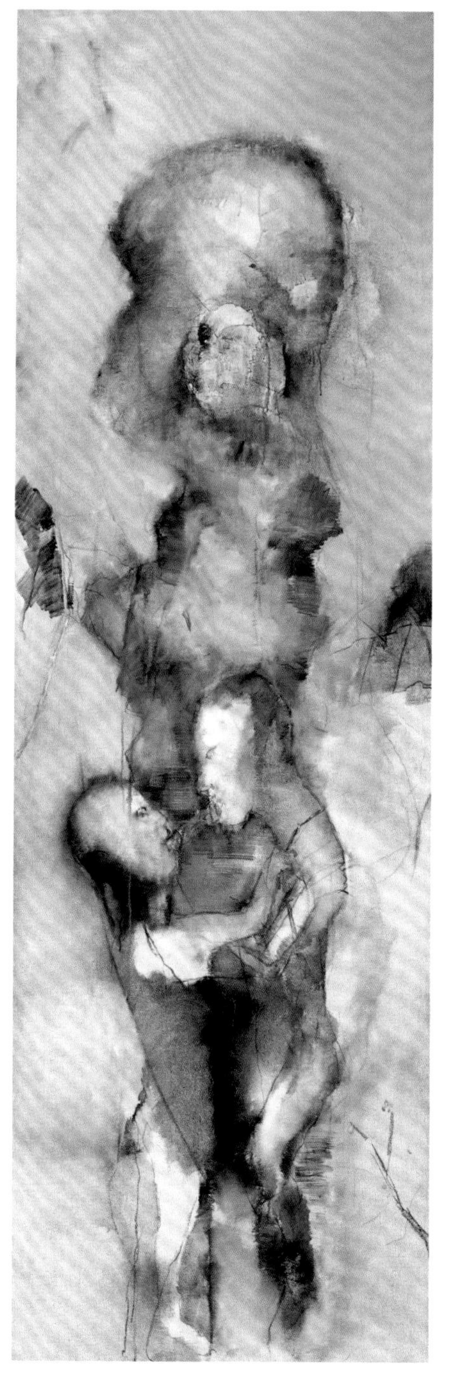

山水　布面油画　260cm×80cm　2005年
抱石　布面油画　260cm×80cm　2005年

春梦 · 飞花　布面油画　113cm × 90cm　2005年

情天·情身　布面油画　116cm×89cm　2005年

任小林

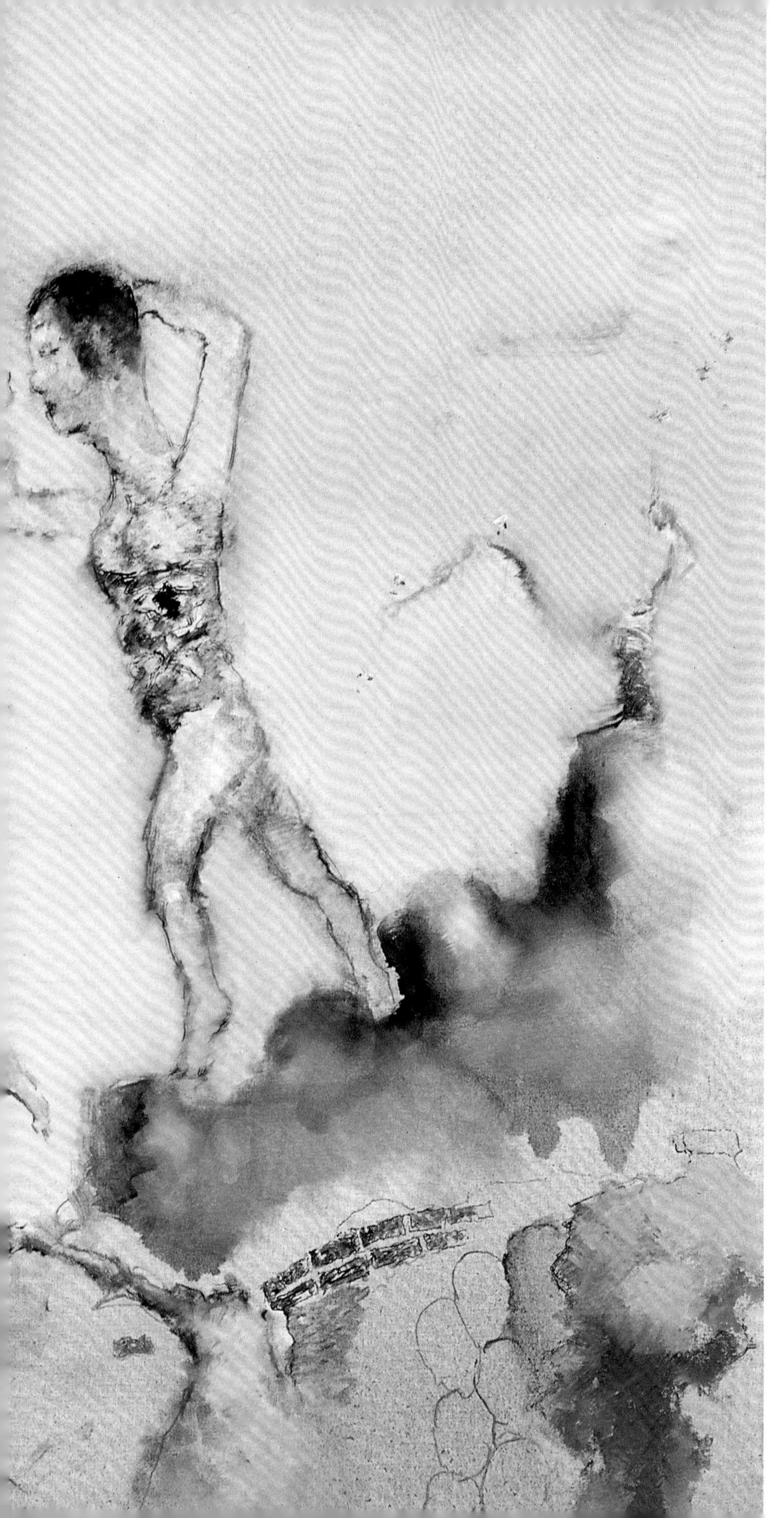

芳气　布面油画　130cm×165cm　2005年

西湖梦之背后　布面油画　60cm×60cm　2005年

西湖梦之春山好景　布面油画　60cm×60cm　2005年

西湖梦之春泻　布面油画　60cm×60cm　2005年

西湖梦之山影　布面油画　60cm×60cm　2005年

云散·流水 布面油画 89cm×116cm 2005年

警幻之境二　布面油画　190cm×280cm　2005年

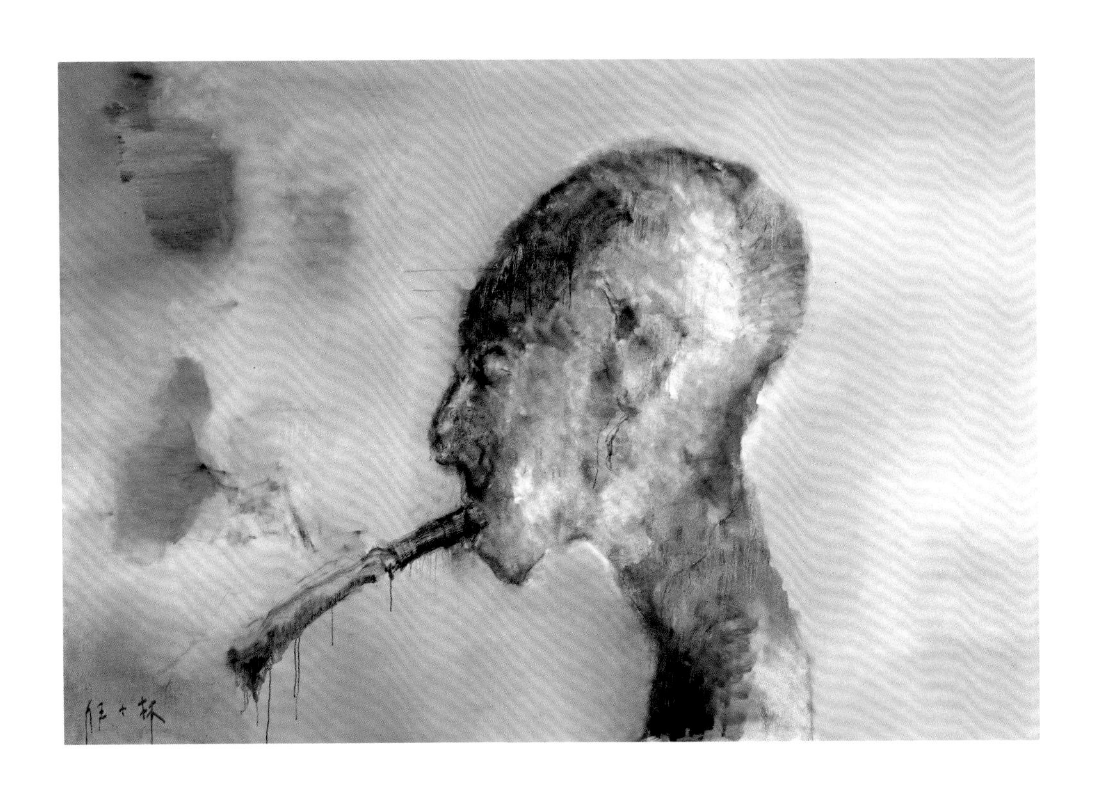

吞云　布面油画　190cm×280cm　2006年

警幻之境一　布面油画　190cm×280cm　2005年

警幻之境四　布面油画　190cm×280cm　2005年

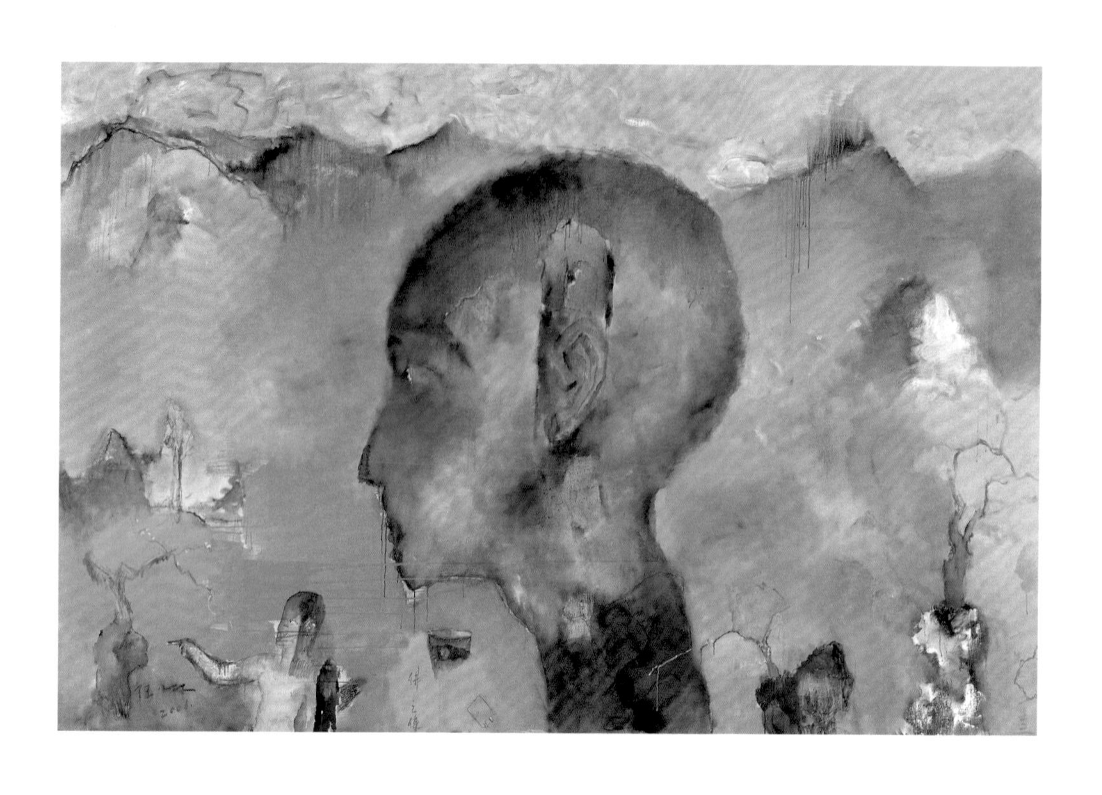

佛的孩子　200cm×300cm　2007年　(佛的孩子　局部　P85～P86)

佛的孩子　200cm×300cm　2006年　(佛的孩子　局部　P88～P89)

西湖梦　布面油画　89cm×116cm　2005年

行云　布面油画　60cm×60cm　2005年

山水　布面油画　80cm×260cm　2005年

山水之二　布面油画　80cm×260cm　2004年

江山如昔之二　布面油画　150cm×200cm　2002年

阳光正烂漫　纸面油画　44cm×58cm　2004年

正午　纸面油画　44cm×58cm　2004年

西湖梦之五　布面油画　89cm×116cm　2003年

西湖梦之惜香　布面油画　90cm×113cm　2005年

风水之五　布面油画　190cm×280cm　2005年

风水之四　布面油画　190cm×280cm　2005年

风水之一 布面油画 190cm×280cm 2004年 （风水之一 局部 P105～P106）

青石　布面油画　79.5cm×69.5cm　2004年

风水之三　布面油画　190cm×280cm　2004年　（风水之三　局部　P108～P109）

紫气　布面油画　150cm×200cm　2004年

秋山　油彩　130cm×120cm　2006年

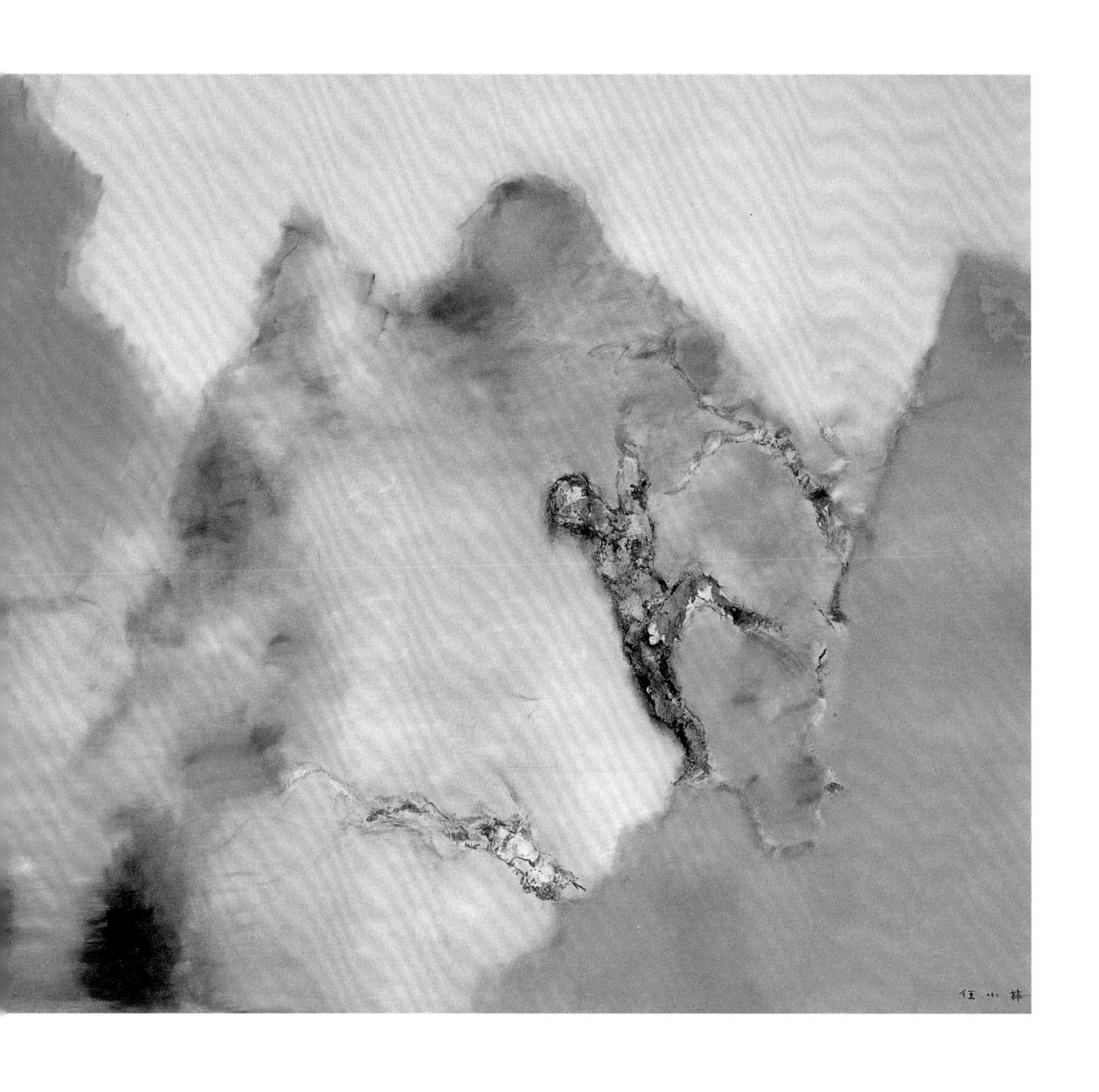

风水之二　布面油画　190cm×280cm　2004年

西湖梦之八　布面油画　60cm×60cm　2004年

西湖梦之十二　布面油画　60cm×60cm　2004年

昙花　油彩　89cm×116cm　2006年

纸上系列　纸面油画　78cm×56cm　2005年

纸上系列　纸面油画　80cm×55cm　2005年

纸上系列　纸面油画　80cm×55cm　2004年

纸上系列　纸面油画　100.5cm×79cm　2005年

纸上系列　纸面油画　80cm×55cm　2002年

纸上系列　纸面油画　80cm×55cm　2002年

纸上系列　纸面油画　80cm×55cm　2004年　（纸上系列　局部　P125～P126）

子时　纸面油画　44cm×58cm　2004年

P128～P129)

江山如昔之四　布面油画　150cm×200cm　2003年

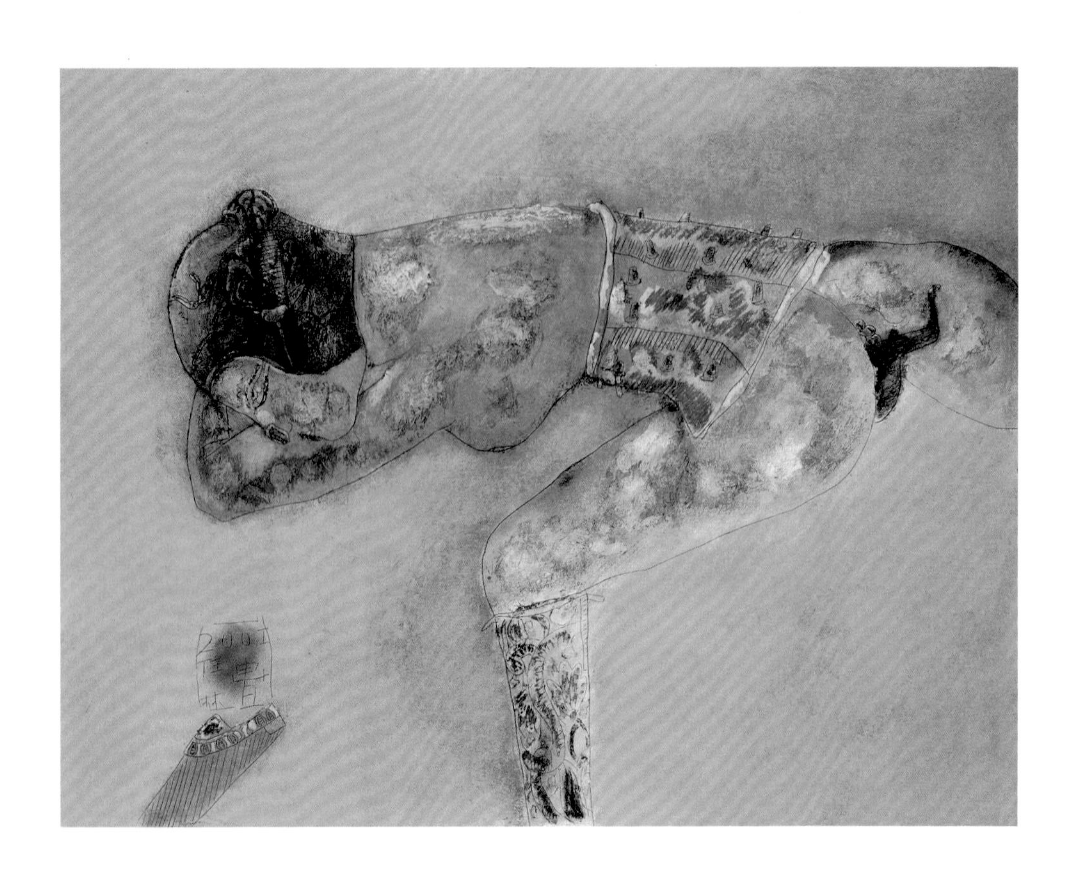

黄色的背景　纸面油画　30cm×39cm　2001年

江山如昔之三　布面油画　150cm×200cm　2002年

江山如昔之五　布面油画　150cm×200cm　2003年

江山如昔之一　布面油画　150cm×200cm　2002年

山水之一　布面油画　80cm×260cm　2003年

警幻之境　布面油画　200cm×150cm　2004年

春山·夕暮　布面油画　200cm×150cm　2003年

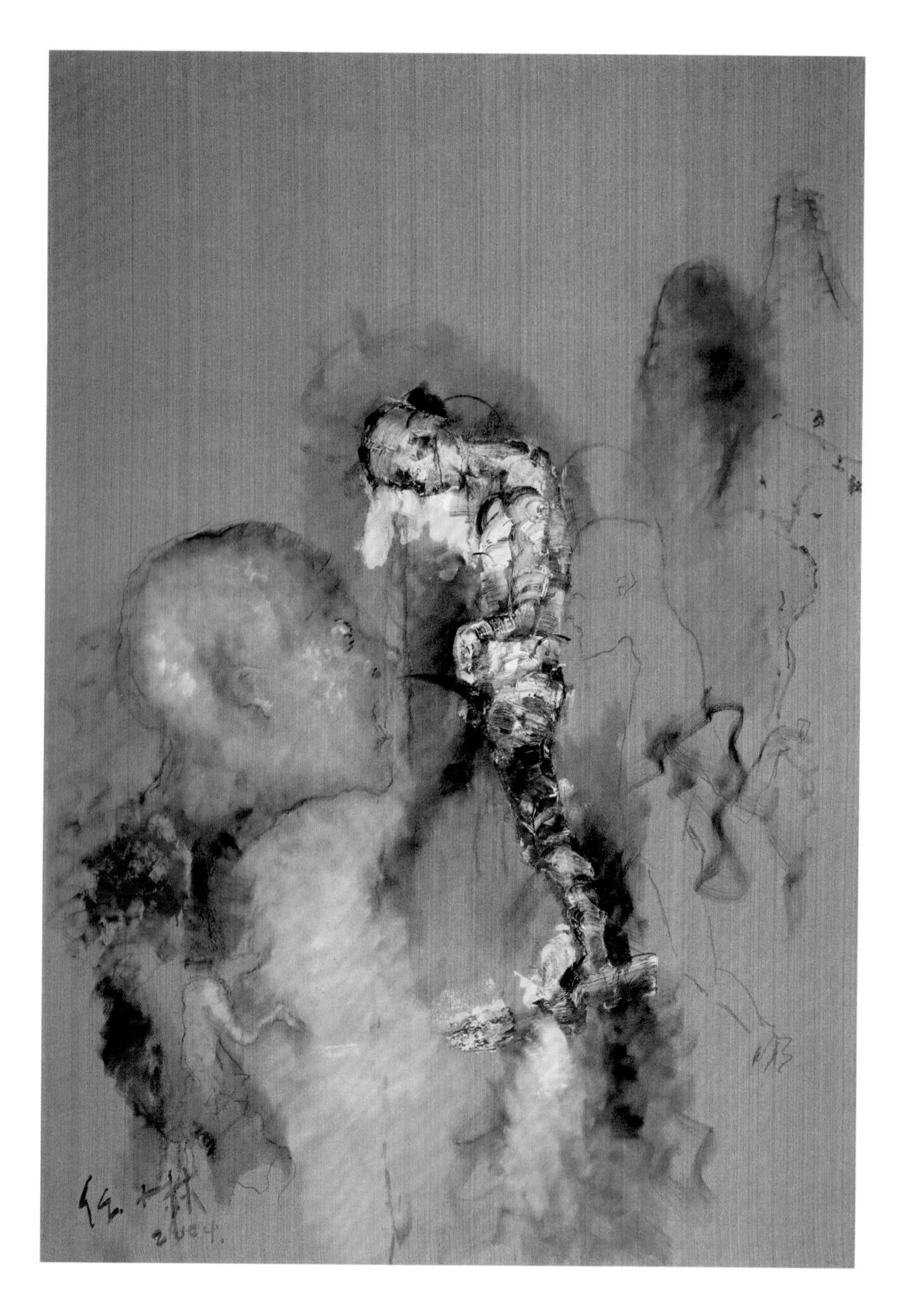

醉花阴　布面油画　260cm×175cm　2004年　（醉花阴　局部　P142～P143）

警幻之境一　布面油画　260cm×175cm　2003年

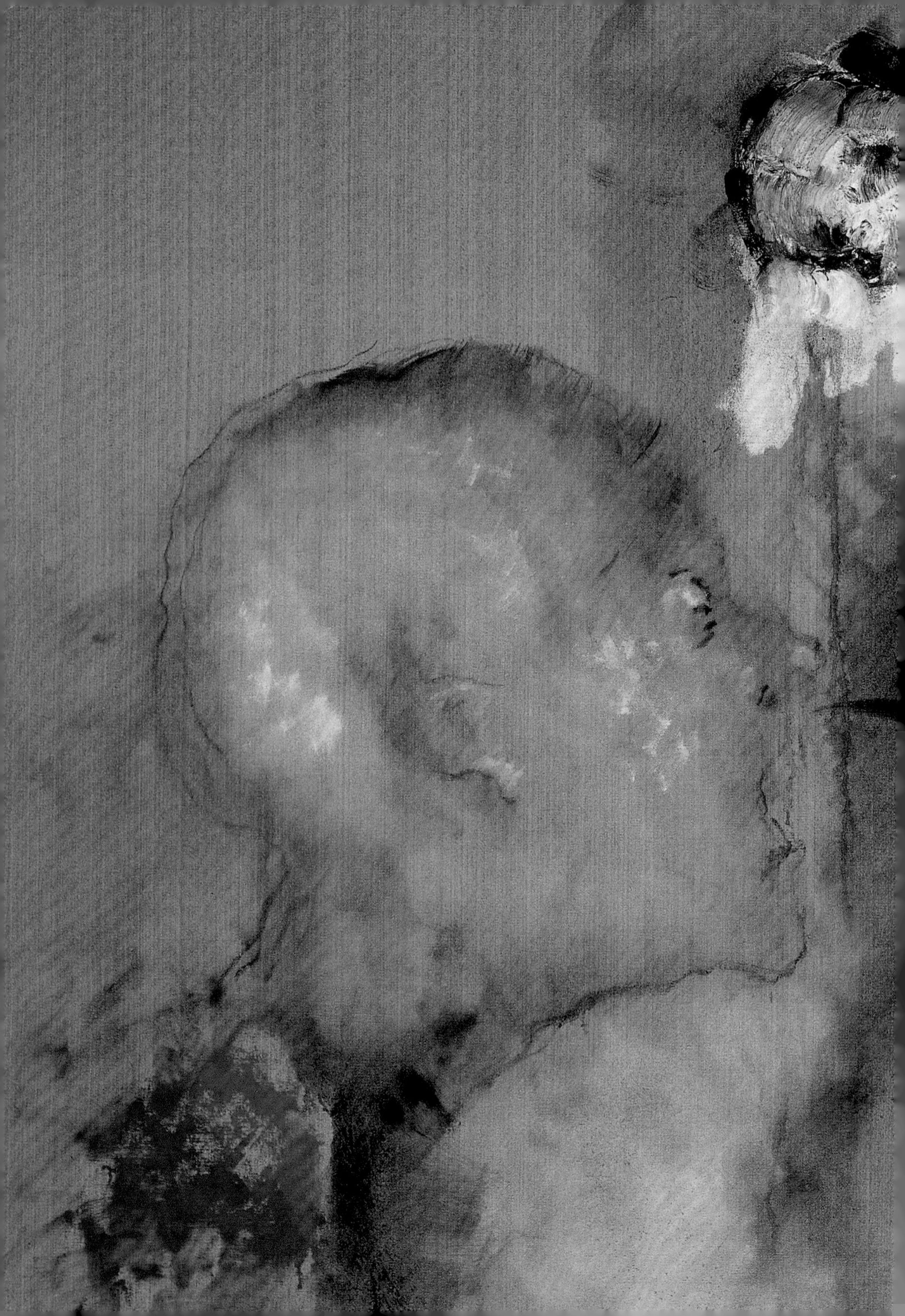

纸上系列　纸面油画　80cm×55cm　2002年

纸上系列　纸面油画　80cm×55cm　2002年

纸上系列 纸面油画 80cm×55cm 2002年

纸上系列　纸面油画　80cm×55cm　2002年
纸上系列　纸面油画　80cm×55cm　2002年（P148～P149）

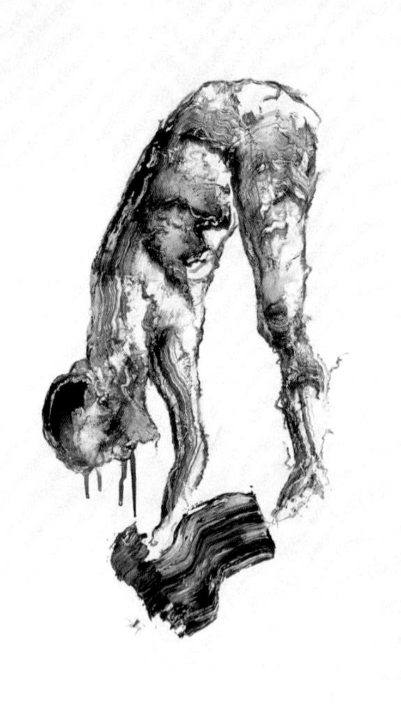

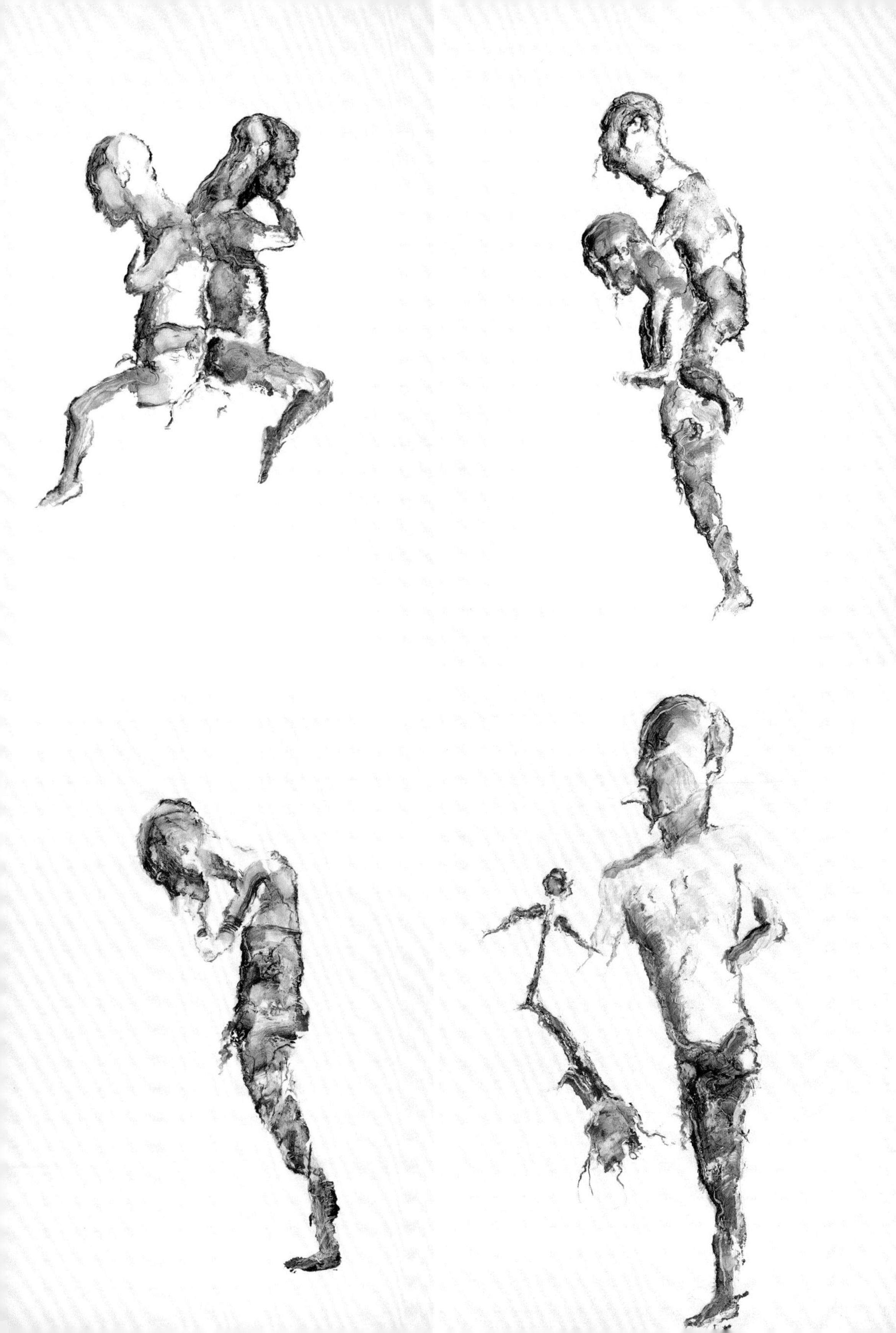

纸上系列　纸面油画　80cm×55cm　2001年

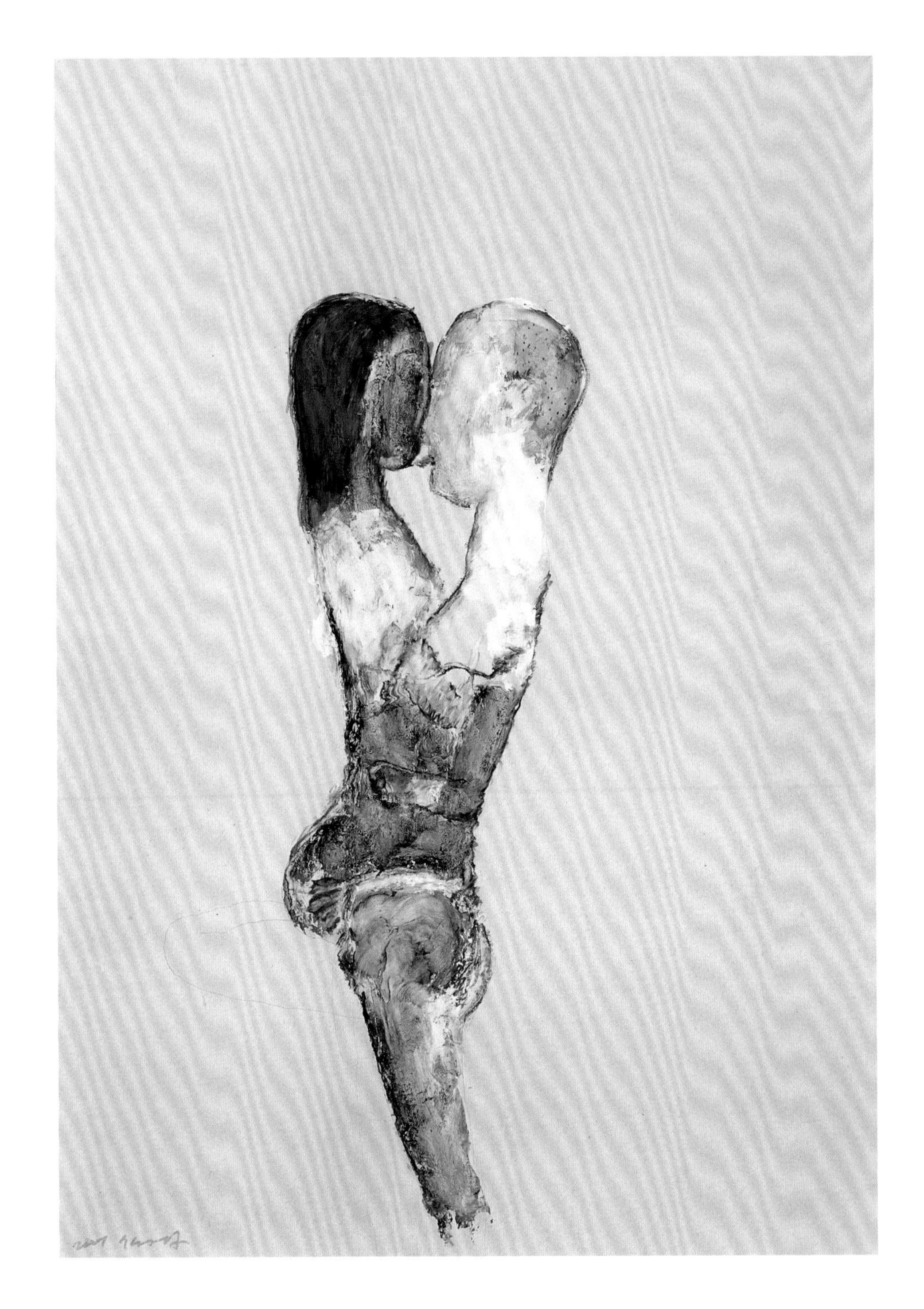

纸上系列　纸面油画　80cm×55cm　2001年

纸上系列　纸面油画　80cm×55cm　2001年

纸上系列　纸面油画　80cm×55cm　2001年

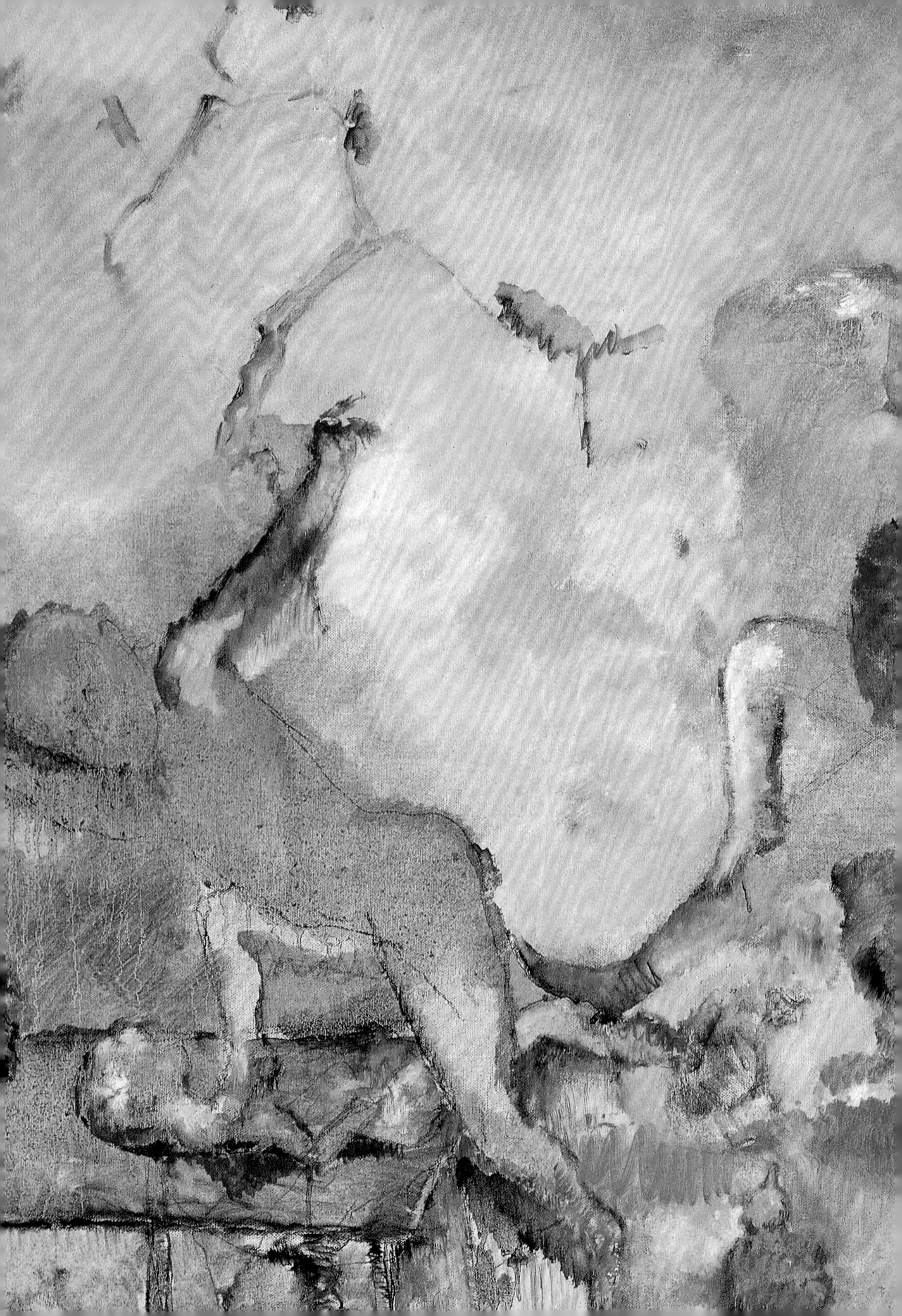

粉色的梦想　油彩　89cm×116cm　2006年

纸上系列　纸面油画　100.5cm×79cm　2005年

纸上系列 纸面油画 100.5cm×79cm 2005年

纸上系列　纸面油画　78cm×56cm　2001年

纸上系列　纸面油画　80cm×55cm　2001年

春衫湿　布面油画　69.5cm×79.5cm　1999年

孩子过来　布面油画　89cm×116cm　2001年

西湖梦　布面油画　80cm×100cm　2000年

西湖梦　布面油画　80cm×100cm　2001年

酒香　布面油画　130cm×165cm　2000年

沉迷　布面油画　130cm×165cm　2000年

风月
纸面油画
130cm×165cm
2002年

图书在版编目(CIP)数据

中国当代艺术家画传/食指，许江主编. - 石家庄：河北教育出版社，2006.12
ISBN 7-5434-6317-2

I.中... II.①食... ②许... III.艺术家-评传-中国-现代-画册 IV.K825.7-64

中国版本图书馆CIP数据核字（2006）第156578号

策　　划 / 三尚艺术

执行主编 / 潘　维　张　健　刘　峥

特约编辑 / 陈子劲　熊　磊

出版发行 / 河北教育出版社
（石家庄市联盟路705号，邮编 050061）

出　　品 / 北京颂雅风文化艺术中心
北京市朝阳区北苑路172号3号楼2层，邮编 100101
电话 010-84853332

编辑总监 / 刘　峥

文字总监 / 郑一奇

责任编辑 / 康　丽　杨　健

设　　计 / 郑子杰　王　梓　卜秀敏

印　　制 / 北京方嘉彩色印刷有限责任公司

开　　本 / 787×1092　1/16　11印张

出版日期 / 2006年12月第1版　第1次印刷

书　　号 / ISBN 7-5434-6317-2

定　　价 / 580元（全套10册）

1991年在北京中央美院壁画系进修。同年参加“中国油画年展”（北京 · 中国历史博物馆香港 · 香港会议中心）。
中国的开放使艺术的自由有了较大的空间，艺术家的个性发展有了更多的选择。90年代初，任小林开始对中国传统的绘画有了一些兴趣和理解，特别是从中国古典春宫绘画中传达的有关性的隐秘感、舒适性及其特别的构图方式中获得启发，开始了日后类似于“宋词式”的绘画，绘画语言趋于平面化的处理，色彩语言平淡而柔和，在温情中讲述一种诗意化的幻觉，一种自在的状态，画面特点是似古似今。

1993年（30岁）

在恩师程丛林推荐下，认识台湾高雄“山艺术”林明哲先生并开始合作，第一次认识到艺术的商业价值。同年在“山艺术”的资助下，在北京国际艺苑美术馆、中央美院画廊、北京音乐厅画廊，同时举办第一次个人画展。展出的为1986年至1993年的作品，完整展示了任小林早期个人绘画语言的形成和发展过程，其中大部分作品收录在1993年“山艺术”出版的《任小林画集》中，画集同时还收录有几篇评论：《笔运任小林三人联展”。

2006年（43岁）

3月，在上海美术馆举办名为“警幻”的个人画展，由冯博一主持，同时开始与三尚艺术的合作。这次展览是对他六年京城生活的一种图画记忆，“警幻”一词借用《红楼梦》中关于“太虚幻境”的描述，其所指是因缘皆在命中。
4月，在德国法兰克福C.A画廊举办名为“风景”的个人画展。
5月，参加三尚艺术主办的“第二届中国——杭州‘不完整世界’之2006诗画 · 印刷”活动。
参加“YUMCHA”画展（澳洲 · 雷画廊）。
参加“西班牙ARC006艺术博览会”。
参加“意象武夷——中德两国艺术家首次面对面互动创作”国际巡回展（中国、德国）。
工作室由费家村迁至现在的酒厂艺术苑。

2007年（44岁）

出版《中国当代艺术家画传——任小林》（河北教育出版社）。

画法自由轻松。

1982 年 –1984 年（19 岁 –21 岁）

考入重庆四川美术学院绘画系油画专业学习，先后师从于夏培耀、马一平、张声显、罗中立、叶永青等先生。四川美院学风自由宽松，在学校任小林度过了一段非常美好的岁月。

1985 年（22 岁）

认识程丛林先生，受其鼓舞开始寻找和发现自己的艺术语言，受益很多，为日后形成自己的独特风格打下了重要基础。在程丛林先生的指导下，完成毕业作品《安魂曲》，也称《有扇形的背景》。

认识张晓刚。

1986 年（23 岁）

毕业后分配到贵州师范学院艺术系任教。

绘画色彩延续着过去以深蓝点状色斑为主的风格，内容多取材人物，创作了一批以妻子杨艺为形象原型的作品，如《吹笛人》等。期间也作了另一类意识流状态的作品，作品构成依靠自由想象，如《花园背后》等作品；就绘画风格而言这个时期受到的主要影响来自于西方的印象主义、超现实主义和神秘主义；具体感受则来自于身边的事、人及贵州独特的环境，同时也受到当时四川画家程丛林、张晓刚、叶永青等作品的影响。

1989 年（26 岁）

在叶永青的推荐下，毕业作品《有扇形的背景》参加“首届中国现代艺术大展”（北京 · 中国美术馆）。

参加“第七届全国美展”，作品《五色天地》获铜奖，其绘画语言开始为中国美术界认同。

1990 年 –1992 年（27 岁 –29 岁）

参加“研究与超越——中国小幅油画作品大展”（北京 · 中国美术馆）。

该年创作的纸上作品是任小林天才创造力的一次新证明，而同时创作的大幅山水人物则是对“无为”的向往和回归。

2002 年（39 岁）

参加“中国艺术三年展”（广州艺术博物院）。

2003 年（40 岁）

参加“特别中国空间”画展（澳大利亚 · 雷画廊），第一次与国外画廊合作。

2004 年（41 岁）

参加“第三届中国油画展”（北京 · 中国美术馆）。

参加“中德艺术家联展”（北京 ·LA 紫禁轩画廊）。

参加墨尔本艺术博览会（澳洲 · 墨尔本）。

参加科隆艺术博览会（德国 · 科隆）。

参加由黄燎原主持的名为“云雨”的画展（北京 · 现在画廊）。

在北京季节画廊，参加名为“花家地”的群展，该展览是第一次集中介绍“花家地”艺术家，但此时有一部分艺术家已搬离花家地西里 116 号楼，迁至有更大空间的费家村。任小林也于“非典”之后，搬迁到费家村。

在武汉参加“首届《美术文献》提名展”。

2005 年（42 岁）

11 月，参加“意象武夷——中德两国艺术家首次面对面互动创作”活动（福建武夷山）。

参加“世纪天堂——成都双年展”（成都 · 国际会议中心）。

参加“北京国际画廊博览会”（北京 · 中国国际贸易中心）。

参加“中国日常映照展”（法兰克福 ·C.A 画廊）。

参加“大河上下”（1976–2005）新时期中国油画回顾展。

参加北京 LA 紫禁轩举办的“‘戏谑’传统——周春芽、刘炜、

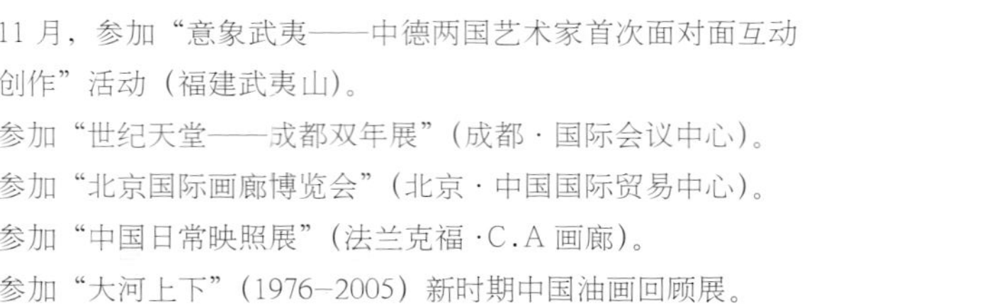

REN XIAOLIN
任小林
BRIEF INTRODUCTION
简介

1963 年

4 月 29 日出生于北京，九个月后随父母迁至昆明，居住在昆明市瓦苍庄 6 号院。

1968 年（5 岁）

父亲任大卫被下放到杨林劳改农场劳动改造。

1969 年（6 岁）

跟随母亲李英华下放到云南思茅省委干校。

1970 年（7 岁）

返回昆明市，就读于红旗小学。

1971 年（8 岁）

开始临描“三国”、“水浒”等中国古代故事连环画，对这种描摹十分喜爱，期间在其姐姐的介绍下拜启蒙老师林林学习素描，第一幅画为线描的水杯。

1975 年（12 岁）

父亲平反，随其迁至贵阳市，居住在贵州省军区大院内，就读于贵阳第九中学。同时继续学习绘画，在军区俱乐部向美术干事王忠才、刘红宇等学习，并跟随地方画家李慧昂、赵华一起画画。

1980 年（17 岁）

高中毕业，到贵州省艺术学校油画班旁听，师从于贵州著名画家向光、田世信等老艺术家，主要学习基础素描和色彩运用，并认识画友赵竹、王华祥、周吉荣等。

1981 年（18 岁）

认识贵州籍画家曹力，受其影响创作了大量速写式的线描，

而神生》（刘骁纯）、《我所知道的》（程丛林）、《任小林画序》（牟群）。

参加“中国现代艺术展”（香港 · 冯平山美术馆）。

1994 年 –1999 年（31 岁 –36 岁）

1994 年，参加“第二届中国油画展获奖作品展”（北京 · 中国美术馆）。

1998 年，举办个展“隐性表现”（北京 · 国际艺苑）；举办“任小林油画作品展”（台湾 · 山美术馆）。

1999 年，妻子杨艺至中央美院进修，陪读在京。

从 1995 年开始，任小林的作品语言发生了颠覆性的改变，意味着一段“梦幻诗意”时期的结束。1996 年他的作品画面变得涩、晦，形象也由过去的青春女性为主代之为男性为主，这是一次对他自己内心的“迷惑”与“不解”的绘画讲述，批评家冯博一先生把此类作品称为“隐性表现”。

2000 年（37 岁）

参加“20 世纪中国油画展”（北京 · 中国美术馆）。

结束在贵阳长达 15 年的生活经历，带着封存的记忆到北京发展。“京城”乃“名利之地”、“战场”，对任小林过去在一个封闭之地所养出的闲淡绘画气质是一个巨大的冲击，是否迷失于此全靠他自身的定力与“命”。

3 月，正式迁入北京花家地生活，与“北漂”画家张晓刚、陈文波、马六明、傣正杰、曾浩、邱志杰、宋永红、林晓东、韩丛武等合群居住在北京朝阳区花家地西里 116 栋。期间认识了众多名流人物，如黄燎原、丁伍、杜杜，开始与中国当代艺术有了真正的接触，并感受其与中国现实一样的巨大变化。

2001 年（38 岁）

参加“成都双年展”（成都 · 现代美术馆）。

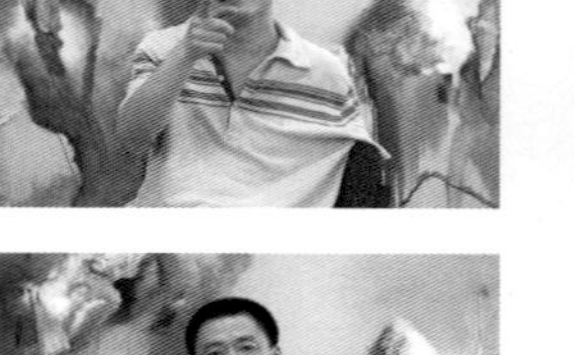

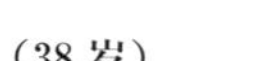